海外漢文古醫籍精選叢書·第三輯

2011—2020年國家古籍整理出版規劃項目
2018年度國家古籍整理出版專項經費資助項目
中國中醫科學院「十三五」第一批重點領域科研項目
——我國與「一帶一路」九國醫藥交流史研究（ZZ10—011—1）

蕭永芝◎主編

傷寒論特解 壹

〔日〕齋宫静齋 注
〔日〕淺野元甫 補續

6

北京科学技术出版社

圖書在版編目（CIP）數據

傷寒論特解/蕭永芝主編．—北京：北京科學技術出版社，2019.1
（海外漢文古醫籍精選叢書．第三輯）
ISBN 978－7－5304－9994－8

Ⅰ．①傷…　Ⅱ．①蕭…　Ⅲ．①《傷寒論》—注釋　Ⅳ．①R222.22

中國版本圖書館 CIP 數據核字（2018）第282646號

海外漢文古醫籍精選叢書・第三輯・傷寒論特解

主　　編：蕭永芝
策劃編輯：李兆弟　侍　偉
責任編輯：吕　艷　周　珊
責任印製：李　茗
出 版 人：曾慶宇
出版發行：北京科學技術出版社
社　　址：北京西直門南大街16號
郵政編碼：100035
電話傳真：0086-10-66135495（總編室）
　　　　　0086-10-66113227（發行部）　0086-10-66161952（發行部傳真）
電子信箱：bjkj@bjkjpress.com
網　　址：www.bkydw.cn
經　　銷：新華書店
印　　刷：北京虎彩文化傳播有限公司
開　　本：787mm×1092mm　1/16
字　　數：474千字
印　　張：39.5
版　　次：2019年1月第1版
印　　次：2019年1月第1次印刷
ISBN 978－7－5304－9994－8/R・2551

定　　價：**1180.00元（全2冊）**

海外漢文古醫籍精選叢書·第三輯

傷寒論特解

壹

〔日〕齋宮静齋　注
〔日〕淺野元甫　補續

内容提要

《傷寒論特解》係日本注解、校輯《傷寒論》之書，刊於寬政三年（一七九一），注者爲儒醫齋宫静齋，由其門生淺野元甫補注、續注并最後完成。注者兼顧《傷寒論》條文的真僞辨識與醫理闡發，舉仲景行文之例法詳加注解，析辨證論治之奥理，對《傷寒論》進行了一次獨具特色的整理研究。

一　作者與成書

《傷寒論特解》卷一至卷六之首題署「静齋齋先生著／……淺野徽元甫補注」，卷七至卷十之首書「淺野徽元甫續注」。由此可知，本書注者爲齋静齋，補注及續注者爲淺野元甫（徽）。日本國書研究室《國書總目録》❶、小曾户洋《日本漢方典籍辭典》❷等著録本書撰者爲齋宫静齋，今從之，以「齋宫」爲其姓。

❶〔日〕國書研究室．國書總目録：第四卷[M]．東京：岩波書店，一九七七：三七五．

❷〔日〕小曾户洋著，郭秀梅譯．日本漢方典籍辭典[M]．北京：學苑出版社，二〇〇八：二四二．

齋宫静齋（一七二九—一七七八），姓齋，本姓齋藤，别姓齋宫，名必簡，字大禮，號静齋，通稱五右衛門，安藝（今屬日本廣島縣）人，爲江户時代中期的儒醫。曾先後游學江户、京都，分别師事宇野明霞、服部南郭修習儒學，後在京都設私塾授徒，撰有《齋子學叢書》《易大意》《初學作文法》等。《傷寒論特解》爲其生前未完成之作，身後由門人補注、續注成書。

淺野元甫，生卒年不詳，名徽，字元甫，號養老山人，出生於尾張藩（今屬日本愛知縣），其子淺野弼（良輔）師從齋宫静齋多年，元甫亦自視爲齋宫氏門生，撰有《傷寒論國字辨》，曾校正刊行《校正傷寒論》一書。

本書之首千松法成序曰：「安藝人齋大禮氏者……其塾中醫生請説張仲景《傷寒論》，則自作注解以授焉。既而罹病，溘焉没矣。其注之書，十而遺一二云。我友淺野元甫氏者，府下世醫也，使其子良輔問道大禮氏有年矣，而深惜其注泯滅不傳。□補注其所遺，梓之以布於世，將使後學有所滋益焉。」淺野弼跋云：齋宫静齋「道極精微，文造秦漢，所著有神道，解《大學小傳》及文集也。其他《詩》《書》《易》《論語》《儀禮》，傍及《老子》《孫子》，皆作注解，而不以著述爲汲汲……蓋將積以歲月，集而大成矣。而年至知命，忽焉易簀，是以皆中途而廢也。若《傷寒論》爲塾中醫生而發，亦一時之口授也。家君惜其遂湮滅不見，修續遺稿以爲成書也」。淺野元甫序載：「我先師静齋齋先生，以命世之資，修《詩》《書》《易》《論語》《大學》，傍及《老子》《孫子》。謂諸子之文，《五千言》（即《老子道德經》）爲最，次之者《孫子》，而頡頏二編者，《傷寒論》也……於是斥僞章，芟煩蕪，拔一百有三章爲正文，作注父數萬云，舉宏綱，撮機要，使仲景氏之道粲然明白……惜矣哉！其業未卒而下世，弟子花孟一者修遺業，亦不幸而逝。其徒拾孟一之遺稿梓之，名曰《傷寒論微辭辨》也。曩兒弼負笈從事先生，親筆受其占授。予亦執弟子之禮，退而學焉有年。於是取筆受與梓本校之，梓本誤脱數百字，不成義者多，不可以爲全書。故徽不敢自揣，修續遺闕，正其謬誤，而又通編僞章，《微辭辨》悉拔去之，非所以好古也，它山之石攻玉者，不可不存也。乃今分注各章，謂之苟完，名曰《傷寒論特解》也。」

由上可知，齋宫静齋漢學造詣深厚，曾注解諸子經典，撰有多部文集。齋宫氏高度評價《傷寒論》一書，認爲諸子百家之作以老子《道德經》爲上，《孫子兵法》次之，而在醫學領域能與上述二書頡頏相當者，則屬張仲景的《傷寒論》。故口授注解於門生，斥僞章，芟煩蕪，擇張仲景之舊文，原《傷寒論》之風貌；注醫理，析文例，發仲景理法之玄妙，明《傷寒論》之道法。但齋宫静齋此業未成，年五旬而逝，其口授之説由弟子花孟一及其徒整理成《傷寒論微辭辨》一書。齋宫氏門生淺野元甫、淺野弼父子二人，惜其師注解《傷寒論》之授不傳，故共同整理齋宫氏之口授筆録，「修續遺編，注僞章」；又以花孟一《傷寒論微辭辨》校注，補其筆録錯訛及脱漏之處，并續齋宫氏未盡之注，輯成《傷寒論特解》十卷。

二　主要内容

《傷寒論特解》全書十卷，其中卷四分爲上、下兩部分。注者從《傷寒論》三百九十章中精選一百一十九條原文，拔爲一百零三章。

《傷寒論特解》以六經編次，僅擇録《傷寒論》原書中與六經相關的條文，辨表裏、上下、淺深、劇易之异，明陰陽變化之機。至於「辨脉法」「平脉法」「傷寒例」「辨痓濕暍脉證并治」「辨霍亂病脉證并治」

「辨陰陽易差後勞復脉證并治」「辨不可發汗病脉證并治」「辨可發汗病脉證并治」「辨發汗後病脉證并治」「辨不可吐」「辨可吐」「辨不可下病脉證并治」「辨可下病脉證并治」「辨發汗吐下後病脉證并治」等篇章，則不在本書注解之列。

《傷寒論特解》輯《傷寒論》「辨太陽病脉證并治上」十條爲卷一；載「辨太陽病脉證并治中」二十二條爲卷二，又輯同篇十一條爲卷三，同篇十四條爲卷四上；拾「辨太陽病脉證并治下」十二條及大陷胸丸方爲卷四下，輯同篇八條爲卷五；集「辨陽明病脉證并治」十三條爲卷六；從「辨少陽病脉證并治」「辨太陰病脉證并治」「辨少陰病脉證并治」「辨厥陰病脉證并治」中，分别選取三條、兩條、十八條、五條爲卷七、八、九、十，論述各經相應病證之病位、症狀、脉證、治方的一般規律，并對所選條文詳加注解。

齋宫和淺野二氏認爲張仲景舊文早已散佚錯亂，經晋・王叔和、唐・高繼仲重新編次後，「僞章雜而法度廢，异言混而名稱亂」，致後世醫家不能準確闡發仲景之道。故二人欲正本清源，辨僞删蕪，僅收録《傷寒論》中與六經相關的内容，區分該書近半數「僞文」，無論條文真僞，均重新編次，詳加注解，最終撰爲十卷。注者有關辨僞的依據和闡述較爲少見，多爲齋宫氏一門的見解心得，從一個獨特的視角注解和研究《傷寒論》，對後人研學仲景醫道頗多助益。

三　特色與價值

《傷寒論特解》凡例云：「此編以宋版與成本對校，從其善者。若其可疑者，傍取《千金翼》，以備參考。」由凡例及前述序文可知，本書以宋版《傷寒論》爲藍本，用成無己《注解傷寒論》進行對校，參以唐・孫思邈《千金翼方》及齋宮靜齋弟子花孟一《傷寒論微辭辨》，通過闡發仲景行文例法，注釋醫理，辨僞存真，拔《傷寒論》三百餘條而成一百零三章，原仲景醫書古樸之貌。

（一）斥僞章，芟煩蕪，拔正文

本書最大的特色在於據文法與醫理明辨條文真僞。注者在凡例中指出：「講《傷寒論》之道，在先得其法；得其法，在先正其舊文；正其舊文，在徵諸文章也。夫文章之异體，猶人面也。故具眼之人，觀之如火。」可知注者編撰此書的目的之一，就是要通過考據各種文獻，區分張仲景原文（正文、舊文、本編）和後人加托之文（僞文、僞章、僞撰）。注者經過考證判別之後，以如下方式來處理宋版《傷寒論》中的文字：凡斷爲《傷寒論》舊文者，始以墨蓋子「【」標識，且用大字頂格刻寫；凡判爲僞章者，亦首以墨蓋子「【」標識，但低一格書寫，或在條文上添加單橫綫作爲標記。

據淺野元甫凡例載：「先生嘗曰《傷寒論》之文，總四道焉。其一道，簡勁而正大者，是爲正文。似正文而拙者，一道；徐暢者，一道；煩碎冗雜者，一道。此三道者，皆後人之所加托也，是以名稱亂而法度廢矣。」

本書將宋版《傷寒論》中的原文區分爲正文與僞文，其判斷的依據有以下幾方面。

首先，注者説明《傷寒論》的舊文「簡勁而正大」，其定例如卷二注文所云：「凡本編之例，始舉冒首者，示病位之大本也；中舉證候者，示陰陽、表裏、淺深、緩急也；終舉脉狀者，斷陰陽、表裏也。以此參互錯綜，而後處治法者，乃古之道，而仲景氏之所傳也。」注者確定正文主要遵從此定例。其他辨僞文之例，例如，卷四太陽病篇第四上，「太陽病，以火熏之不得汗，其人必躁，到經不解，必清血，名爲火邪」一條，注其「不舉治法，非本編之例」，言此條舉病位、脉證而未言治法，故視爲僞撰。又如卷二太陽病篇第二「發汗後，其人臍下悸者，欲作奔豚，茯苓桂枝甘草大棗湯主之」條，補注稱「而舉病名論者，非本編之例也」，雖符合上述定例而同時又舉「奔豚」病名，不合通篇之例法，因視之爲僞文。此外，注者將通行宋版《傷寒論》本中繁瑣冗長、與前文重沓、無所卓見、空言《素問》理論、言語矛盾混淆之類條文，均視爲後人僞托之文。如卷一太陽病篇第一「太陽病，發熱而渴，不惡寒者爲温病……名曰風温……再逆促命期」條，注其「而今舉温病一道者，於本編爲懸疣也，其出於後人審矣，且文章冗雜無統理也」，係言語繁瑣雜亂之僞文。

其次，注者認爲，張仲景之舊文如大小、輕重、緩急等，文字對仗工整；故無上下呼應者，定爲僞章。如太陽病篇第四下「小結胸病，正在心下，按之則痛，脉浮滑者，小陷胸湯主之」，對此條的注解，「凡小者，對大之名也，不對大而云小者，未聞之。今有大陷胸湯而無大結胸，故小陷胸湯可言，而小結胸不可言也」，以上下文的嚴格對仗辨別條文真僞。

第三，憑藉中醫理法分析條文真僞。如卷二太陽病篇第二「太陽病，脉浮緊，發熱，身無汗，自衄者愈」條，按語注「前章麻黄湯證，其人陽氣瀏重，故不汗出而致衄解者，以藥力發之也。然衄不如汗，未全解，故仍以麻黄湯發之也。而此章云自衄者愈者，不知前章之義也」。此處論「自衄者愈」，於醫理不通，故視該條爲僞。又如卷六陽明病篇「問曰：何緣得陽明病？答曰……此亡津液，胃中乾燥……」條，補注「本編云陽明爲病，胃家實也者，毒熱充實於胃中，而其證大劇者也。而此章所舉者，汗下後諸證去，而唯胃中津液乾燥，大便難之證，與本編所謂陽明病相去天淵也。凡篇中以津液乾燥之證爲陽明病者，皆出於後人者也」，從陽明病胃家實，毒熱充實的角度，否定以「津液乾燥，大便難」爲陽明病之文，從而判斷類似條文爲後人僞托。

不過，注者辨僞的論據偶爾也會有失偏頗。如前文所述因未見大結胸證而否定小陷胸證的觀點，就没有考慮到因條文亡佚而致前後文無法嚴格對應的情况。又如卷四太陽病篇第四上大柴胡湯條，補注按語「據論中云用大柴胡湯下之，則有大黄無可疑也。乃知七味必八味誤矣。一方以下，後人之所加，當删去也」，認爲既云用大柴胡湯下之，則必當用大黄，此説亦未免拘泥。再如卷一太陽病篇第一載桂枝二越婢一湯方，補注稱「越婢湯方編中無矣，後人之加托，亦可見焉」，不知越婢湯載於《金匱要略》，而《金匱要略》《傷寒論》均出自張仲景。

綜上可知，《傷寒論特解》舉仲景之文法、醫理，辨條文之真僞。按語中的論點具有新意，但亦有不甚嚴密之處，故學者在研究、學習本書時對注者之言應慎思細辨。

（二）辨病位，别證方，注醫理

儘管《傷寒論特解》的注者通過考證諸書，結合自己的判斷區分了所謂「舊文」和「僞章」，但對正、僞條文及書中的治方皆加以詳細的解析。書中的注文體例規整，均采用雙行小字作注。齋宫静齋、淺野元甫二人所注解的内容，正如凡例所言：「先生之注釋至陽明病篇小柴胡湯章而止，自是而下至終篇及通編僞章之注，皆予之所補續也。」可見，全書卷六陽明病篇小柴胡湯之前，主要爲齋宫静齋所注；淺野元甫的補注，則以小字陰文「補」字爲首標明。卷六小柴胡湯之後的注文，均爲淺野元甫之注，不再冠以「補」字。全書對「僞撰」之文的小字注解，均出自淺野元甫之手。

注者在各經篇名之下，均注以内容解析和病證主旨。如卷一太陽病篇第一，以小字補注，述太陽病醫理之大要，「張仲景氏建六部，設病位之例，部陽病於三陽，部陰病於三陰，是陰陽二證之大别也，而太陽者，爲三陽之大本……夫太陽也，猶云大表也，故其位在總體之大表也……」。在正文與僞文之後，用全面、詳細的解析作注，其中對各經總目、主方條文的辨注，涵括了醫理解説、條文對比、方證鑒别等内容，尤爲翔實、精彩。同時，注者亦會適時統括各經的病證要旨。如卷一太陽病篇第一，注者概括中風發病有五，傷寒發病有六，并細辨二者之异同。又如，注者指出，凡云「主之」，表不疑；但見「宜」字，示「據法而用之」；若有「必」字，指「十中期七八有之者也」；如言「醫」者，多示誤治等。此外，注文亦涉及對條文的校正。如卷三太陽病篇第三柴胡加芒硝湯方，注文「宋版、成本，俱以小柴胡湯加芒硝也。然按主證，則當以大柴胡湯加芒硝也。故今改焉」，此處乃依據病證校正條文。

同時，本書注解亦有邏輯不通或拘泥欠妥之處。如卷三太陽病篇第三，「發汗後，飲水多必喘」，注「喘豈唯飲水多，且何必汗後」，混淆了發汗、飲水與喘之間的因果關繫。又如卷六陽明病篇，「陽明病……蟲行皮中……久虚故也」，注文述「陽明病則胃實證，豈有以久虚證爲陽明病乎」，又過分拘泥於陽明病之總目。

綜上所述，《傷寒論特解》注重對《傷寒論》原文真僞的辨析，以獨特的視角去僞章、詳論注，體例規整，自成一家之説，反映了齋宫氏一門獨到的辨治觀點，具有一定的研究價值和參考借鑒意義。

四　版本情况

《傷寒論特解》一書刊行於寬政三年（一七九一）。在日本，此書現尚藏於愛知學芸大學圖書館、九州大學圖書館、京都大學圖書館富士川文庫、早稻田大學圖書館、東京大學圖書館、廣島市立淺野圖書館小田文庫、市立刈谷圖書館、杏雨書屋、乾乾齋文庫、無窮會神習文庫等機構。❶在中國國内，著録有兩種不同的刻本，即：日本寬政三年辛亥（一七九一）皇都書林風月莊龍衛門等刻本，拙庵藏板，藏於中國醫學科學院圖書館、中國中醫科學院圖書館和上海中醫藥大學圖書館；日本寬政間尾陽東壁堂刻本，由北京大學圖書館收藏。❷

本次影印采用的底本，爲日本早稻田大學圖書館所藏寬政三年（一七九一）刻本。此本藏書號「ヤ09 00307」，全書十卷六册，日本四眼裝幀。每册封皮題寫「傷寒論特解」書名及册數（第六册錯書爲「三」）。無扉葉。書首有千松法成寬政二年（一七九〇）序、淺野弼同年跋及淺野元甫（徽）寬政元年己酉（一七八九）自序。自序之後依次爲凡例和目録。正文卷一至卷六之首分别題署「大日本安藝静齋齋先生著／門人尾張淺野徽元甫補注／弟子富田肥大順校正」，卷七至卷十之首均書「大日本尾張淺野徽元甫續注／弟子富田肥大順校正」。全書四周雙邊，烏絲欄。正文每半葉九行，行十九字，小字雙行，行三十八字。版心白口，上單黑魚尾，書口上部刻「傷寒論特解」書名，中部鐫卷次和篇名，下部刻葉碼（其中第四册第十三葉的葉碼錯爲「十三四五」）并有「拙庵藏」三字。本書正文以「、」句讀，旁注日文送假名且附有標明語序的日文返點。卷一、二、四上、五、六、十之末分别鐫有刻書坊的

❶〔日〕國書研究室.國書總目録：第四卷［M］.東京：岩波書店，一九七七：三七五.

❷薛清録.中國中醫古籍總目［M］.上海：上海辭書出版社，二〇〇七：六七.

其他刊刻書目及内容概要(其中卷六之末僅列「尾陽東壁堂製本略目録」,未見概要),如卷一之末書《提耳談》《蘭藥鏡原》《和蘭内外要方》《吐方撮要》;卷二之尾刻《的治療方》《小刻温疫論》《醫事古言》《經穴秘授》《日用藥品考》《古方通覽》等。全書大尾無刊刻牌記。

總之,《傷寒論特解》爲日本醫家注解《傷寒論》之專書。本書詳仲景之文法,明《傷寒論》之醫理,廣搜歷代醫籍,辨論條文之真僞,并對其詳加注解,深入闡發張仲景之辨治奥義。齋宫静齋、淺野元甫兩位注者視角獨特,觀點獨到,反映了日本醫家對《傷寒論》的理解、研究和利用,頗具參考借鑒價值。

曲　璐　蕭永芝

傷寒論特解
一

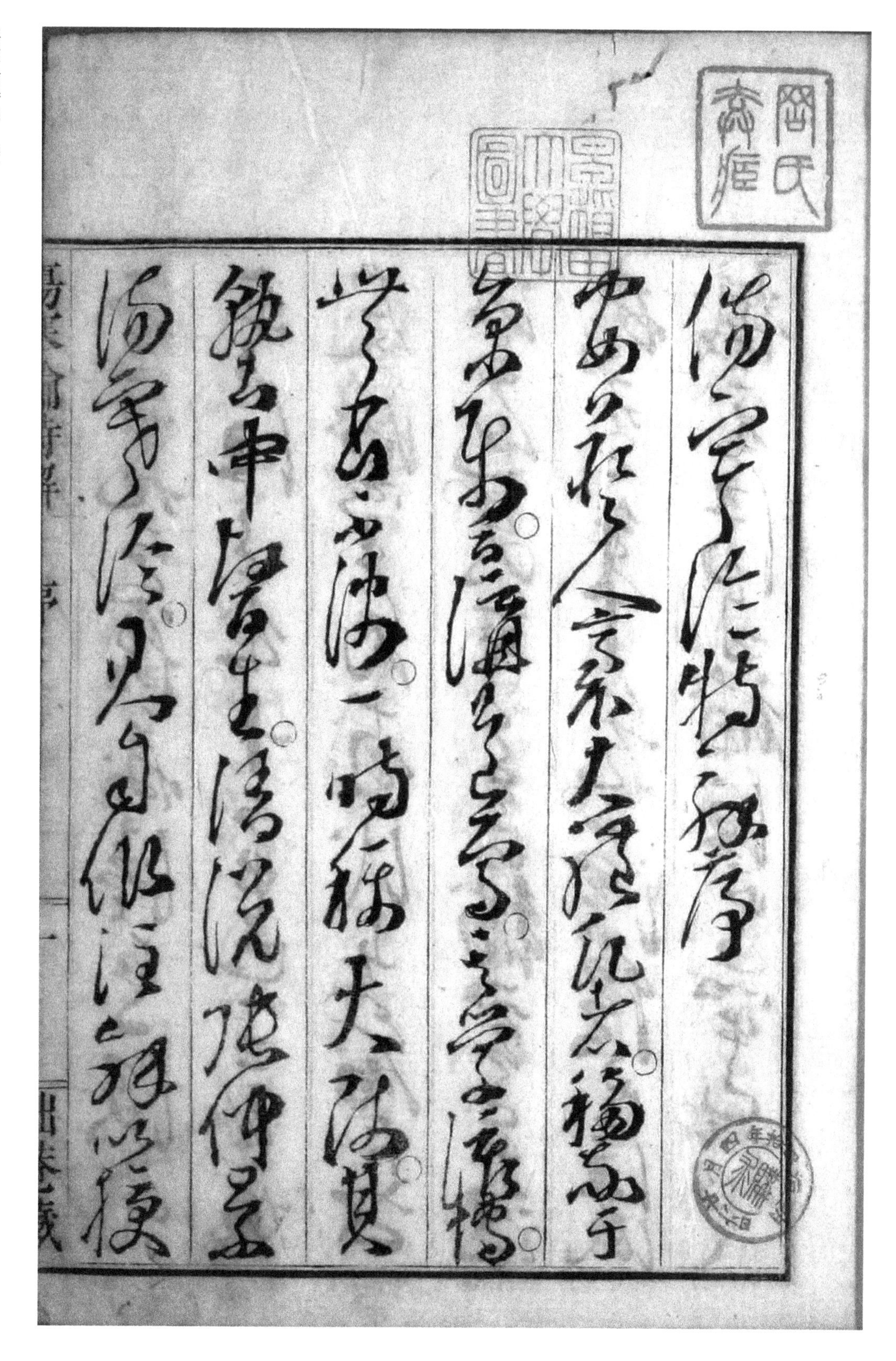

傷寒論特解序

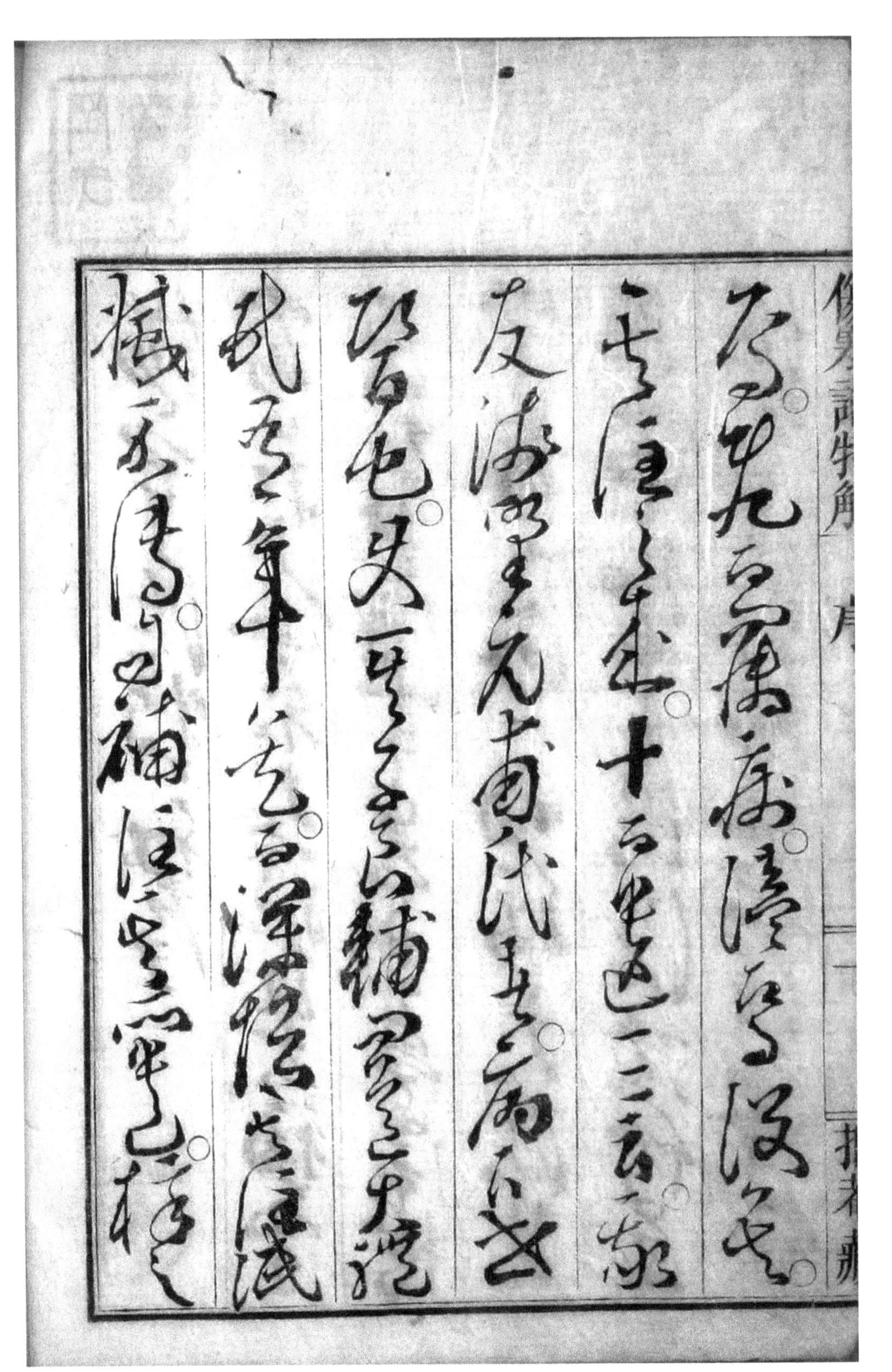

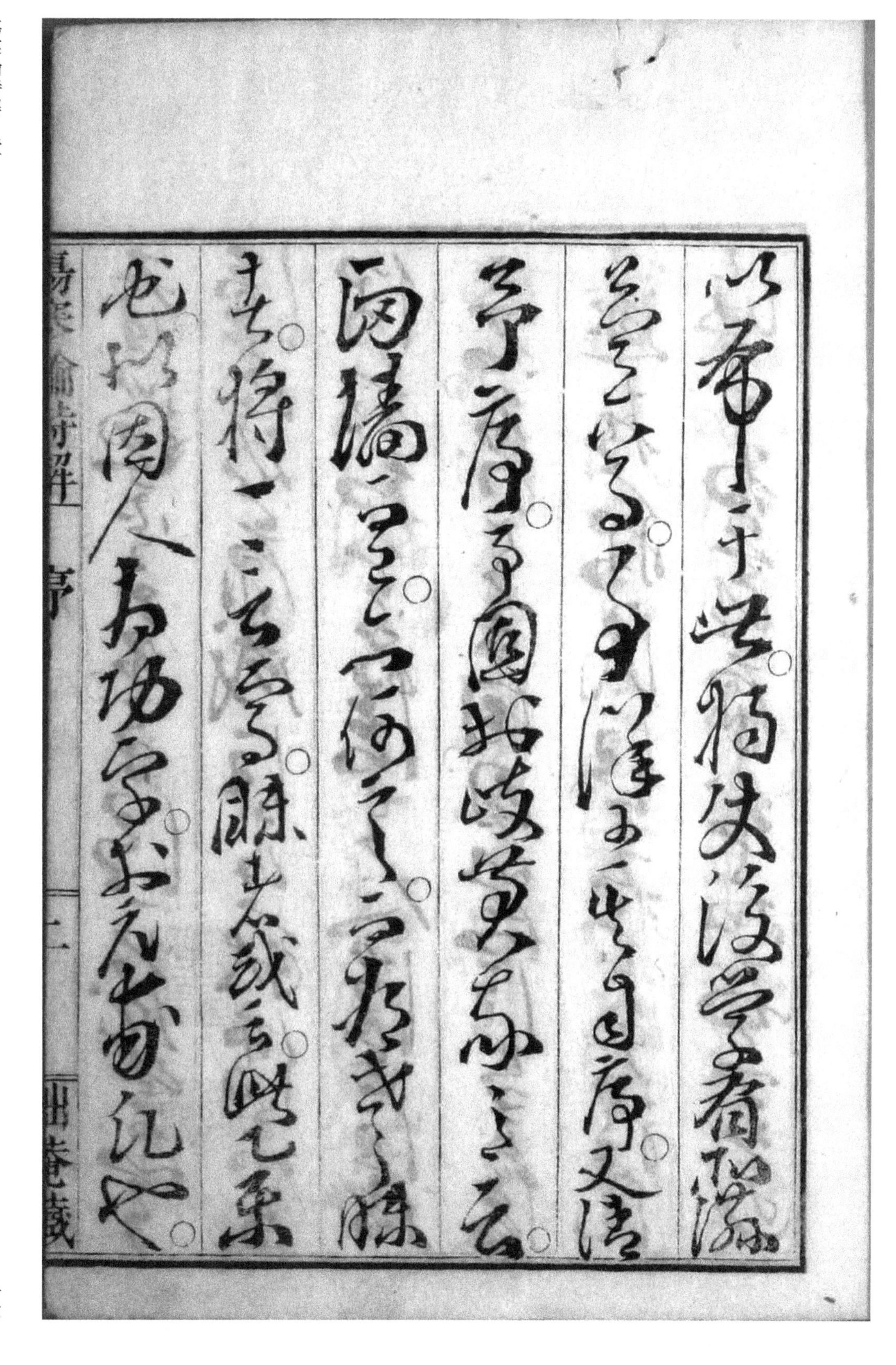

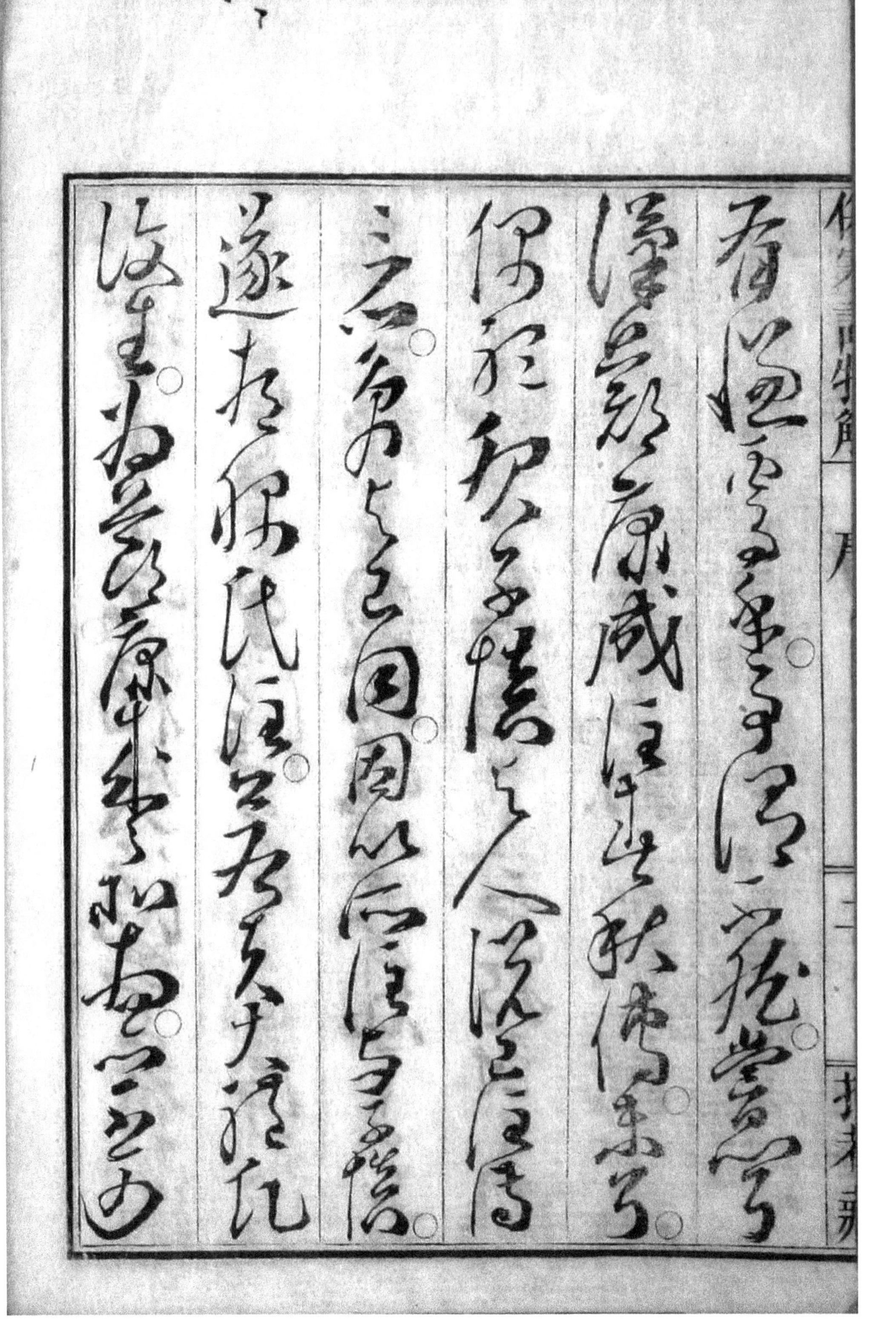

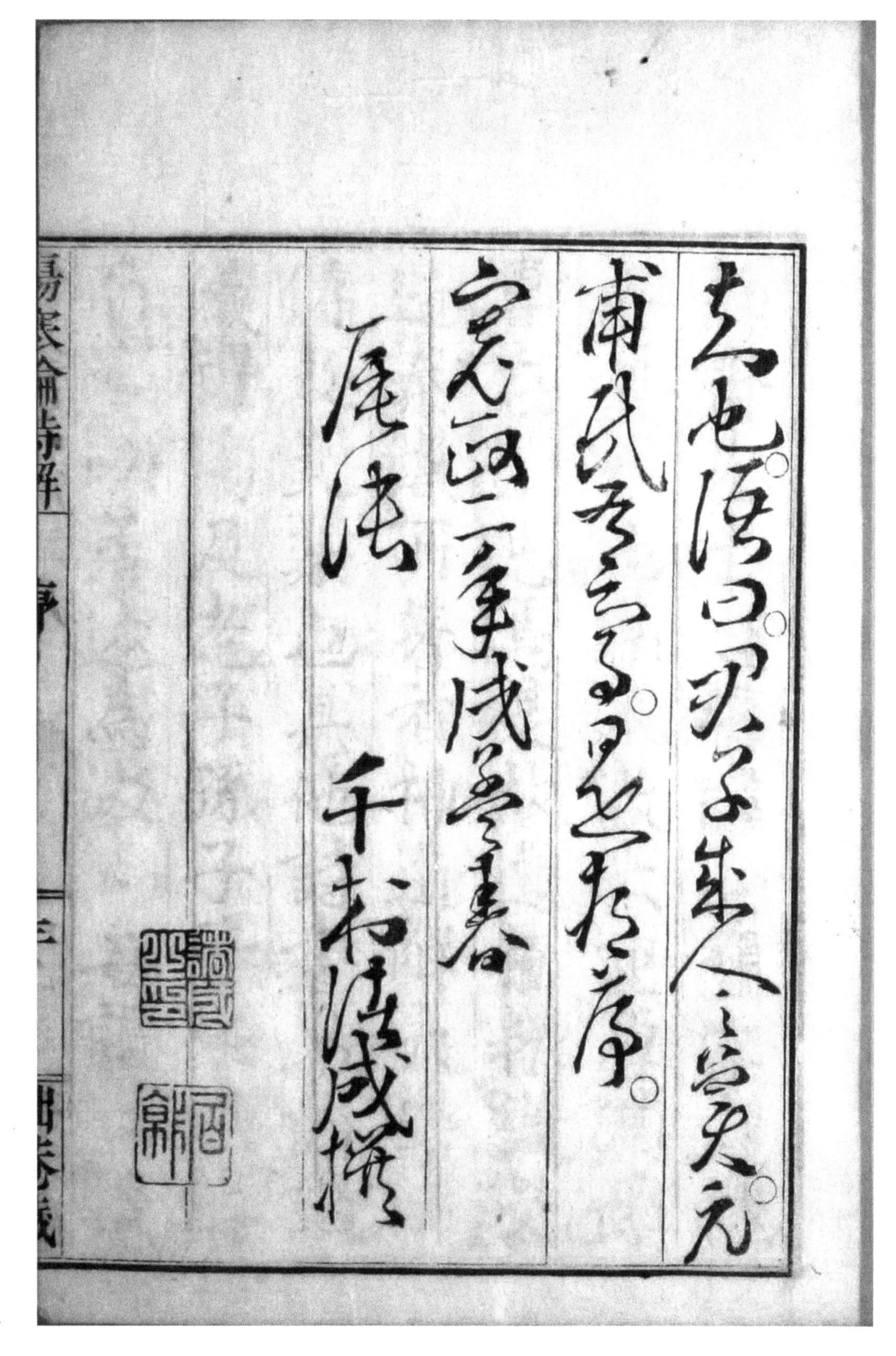

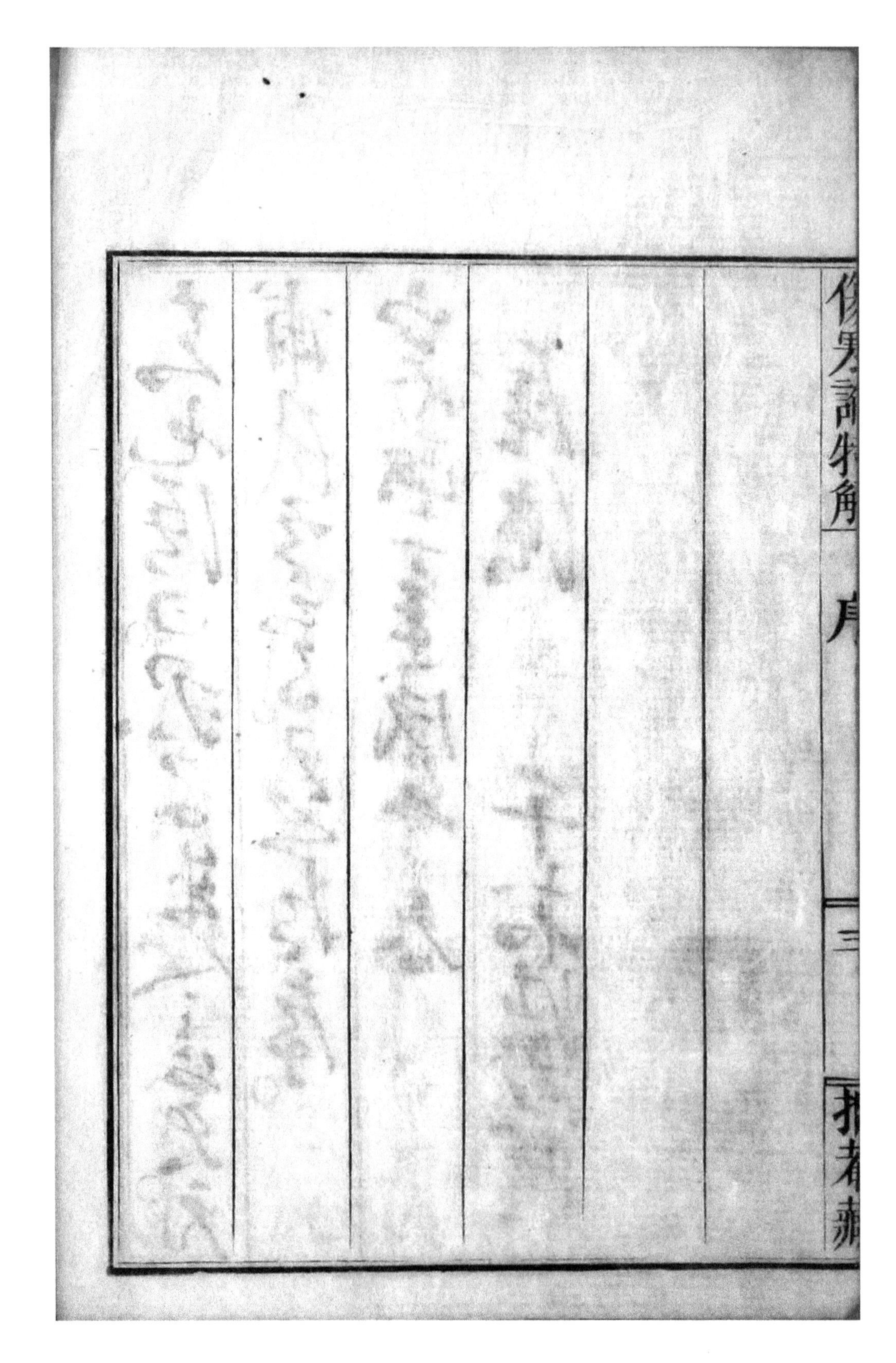
傷寒論特解 序
三
拙者齋

静齋先生姓齋諱必簡字大禮安藝人也爲人敦大重厚其學專在沈思焉是故道極精微文造秦漢所著有神道解大學小傳及文集也其他詩書易論語儀禮傍及老子孫子皆位註解而不以著述為汲汲每講口授

註文使書生筆受而不復省視曰學者尚日新安知吾之今之所是非它日之所非也盖將積以歲月集而大成矣而年至知命忽焉易簀是以皆中途而廢也若傷寒論為塾中醫生而發亦一時之口授也家君惜其遂

湮滅不見修續遺稿以爲成書也。弼從事先生數年焉，而不肖不能贊家君而繼先生之思。其謂之何？嗚呼，天假之年而卒其業，其於聖人之道有大可觀也，豈啻傷寒論而已。予雖汚也，非阿所好云。

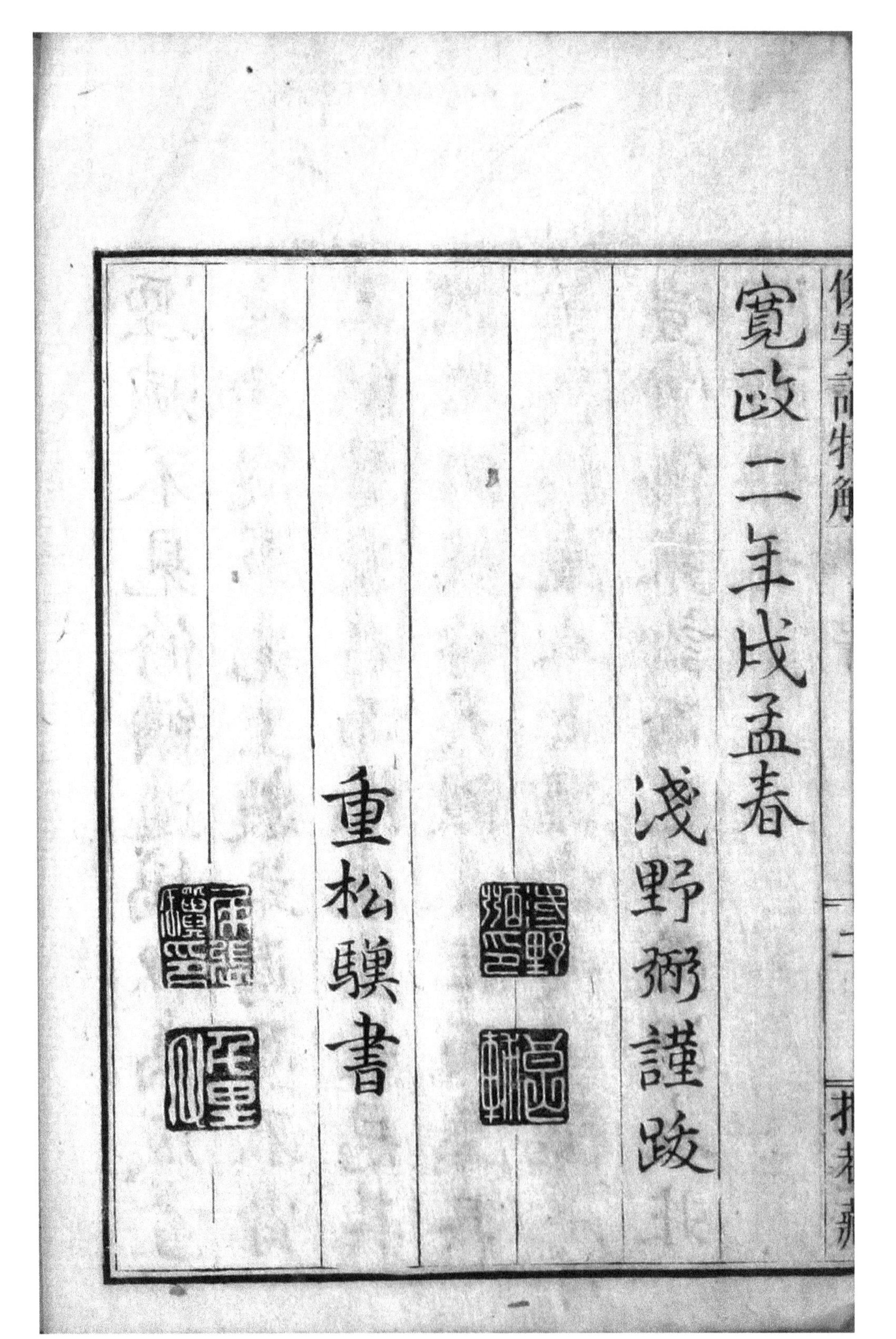

寛政二年戌孟春

淺野衡謹跋

重松驥書

傷寒論特解序

古昔黄帝與岐伯之徒論定之醫道。以建萬世之法矣。於是象臟腑分經絡。定三焦。品五志。而配之以陰陽五行。驗之以證候色脉。使後人參互而施治法也。乃筆而傳於後者。內經是也。班固曰。黄帝內經十八卷說者以爲徵焉或曰內經出於戰國之僞撰又殘缺至唐王冰補綴行之且附益運氣七篇是以篇章異體議論殊旨雜而不雅蕩而不約孔安國曰伏犧神農黃帝之書謂之三墳而內經不與皇甫謐曰內經多失眞而少切事矣夫秦焚六藝

古之。醫卜之書得免。而其所傳者。果而今之內經耶。抑別有所謂醫卜之書耶。何其無定之論乎。後漢張仲景氏著傷寒論也。其意謂。載之空言。不如見之於行事之親切著明也故分人身為六部。三陽為陽病焉。三陰為陰病焉。而畫病位。繫脈證。

包括萬病之陰陽表裏逆順於其中使学者得據病位按脉證而處治法也簡而明繁而不紊昭昭如日月離離若星辰皇甫謐曰仲景推廣伊尹之湯液作傷寒論由此觀之免秦火者其在茲耶嗚乎死者不可起誰知其奥也哉傷寒論既

迄敍于漢。王叔和重編次于晋。而不得其道。雜以他〻云〻。於是玉石為伍。驥駑為羣。隋巢元方病源候論。唐孫思邈千金方。王燾祕要方。概皆仍叔和之舊貫。滔〻相兼千有餘年。夫人知為其至寶。無眼觀連城。沒名〻玄黃。無識相神駿。悲

夫仲景氏之道荒矣哉先師靜
齋齋先生以命世之資修詩書易
論語大學傭及老子孫子習諸子之
文五千言為最次之者孫子而
頡頏二編者傷寒論也辭約而
旨優道博而法密且其文纔四千
餘云統綜萬病之陰陽表裏逆

順於其中。非上古之人誰能之。其撰益出殷周之際乎。柳仲景氏因古之遺編。而論定之。其道邪。其未可知也。於是作僞章。芟煩蕪。拔一百有三章為正文。作注數萬言。擧宏綱。撮機要。使仲景氏之道。粲然明白。足以垂世立敎

傷寒論特解　序

者。實自先生始。可謂前無古人矣。惜乎其業未卒而下世。弟君子花孟一者修遺業。亦不幸而逝。其徒拾孟一之遺稿。梓之。名曰傷寒論徵辭辨也。是最兒弱負笈逰事先生。親筆受其占授。予亦執弟子之禮。退而學焉。有年。於是取筆受與梓本校之。梓本誤脱數百字。不成彖者多不可以爲全書。故徵不敢自揣。修續遺闕正其繆誤。而又通編僞章徵辭辨悉撥去之。非爾以好古也。它山之石攻玉者。不可不存也。乃今分註各章。謂之首究。名曰傷寒論

特解也。學者若能習熟此編
據病位。按脈證。而處其治法。則
將知與以陰陽五行載之空言者
不可同日而語。而後皇甫謐之云
可以徵焉矣。若夫劉張李朱之
徒。新義創說。玄武螣蛇之陰
陽龍雷二火。皆自五運六氣敷

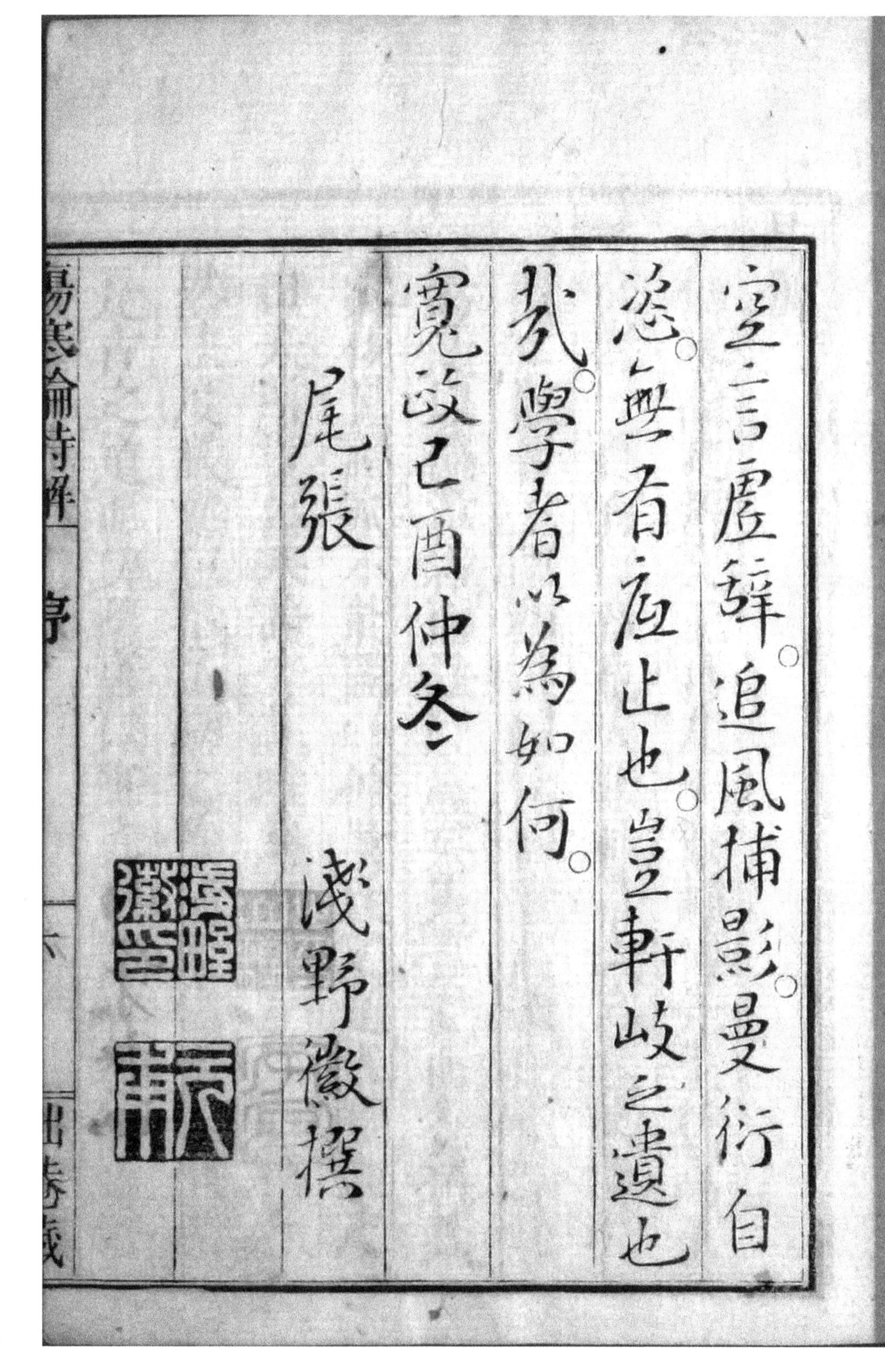

空言虛辭。追風捕影。曼衍自恣。無有底止也。豈軒岐之遺也哉。學者以為如何。

寬政己酉仲冬

尾張　淺野徽撰

傷寒論特解　序　六

傷寒論特解 序 六

山咊書

凡例

一傷寒論之舊文三百九十章靜齊先生抜爲正文者一百有三章也夫張仲景氏之舊文當時既亡散晉王叔和重編次而唐高繼仲亦編錄焉是以僞章雜而法度廢矣異言混而名稱亂矣後世諸家不能闡發仲景氏之道者職此之由夫所貴傷寒論者非唯爲有其方以名稱森然法度嚴然包括萬病之陰陽變化於其中也是古之道而與隋唐以降之方書所大有逕庭

也夫法者所以辨陰陽而定病位者也方者所以隨陰陽而處其治者也故法明而後方有驗也猶規矩備而後奇工百出也故講傷寒論之道在先得其法得其法在先正其舊文正其舊文在徵諸文章也夫文章之異體猶人面也故具眼之人觀之如火先生嘗曰傷寒論之文總四道焉其一道簡勁而正大者是爲正文似正文而拙者一道徐暢者一道煩碎冗雜者一道此三道者皆後人之所加托也是以名稱亂而

法度廢矣。故先生撰一百有三章爲定本而後仲景氏之道明而古之法著此先生之所以有大功於此道也。

一傷寒論之建病道也。列六部以分病位而包括萬病之表裏上下淺深劇易於其中。以明辨陰陽變化者也。六部者、所謂三陽三陰也。大陽爲其首也。見其證於總體之表陽謂之大陽病也。而其輕易者爲中風。其有根據而深劇者爲傷寒。又非中風。非傷寒者則以部名稱之爲大陽

病也然三者皆表證也故總稱謂之大陽病也
其次爲陽明也見其證於腹部謂之陽明病也
其次爲少陽也見其證於胸脇以上謂之少陽
病也此三陽者陽病也而大陽爲陽病之大本
也大陰次于少陽也又見其證於腹部謂之大
陰病也而陽明熱實在胃中大陰冷陰在胃中
陰陽各别而見證亦大異也其次爲少陰也見
其證於總體之裏陰謂之少陰病也厥陰爲其
尾也見其證於心胸謂之厥陰病也此三陰者

陰病也而少陰爲陰病之大本也夫中風則終於大陽無復變遷於他部也唯傷寒變化遷轉貫穿於六部而其證純一於其部則以部名稱之若不純一於其部則皆謂之傷寒也凡此三陽三陰者陰陽二證之大別也而三陽有變陰三陰有變陽自彼往此自此交彼內外上下合併轉屬凡病之千態萬狀無有定位淺深劇易變化無常不可端倪也然而統之者陰陽也故吾輩病位而繫以脈證彼爲陽此爲陰或帶陰

傷寒論特解　三　出雲堂藏

或變陽內外上下。合併轉屬。凡病之千態萬狀。無逃吾彀中。取諸左右。逢其原也。是所以辨陰陽而處其治者。即乃古之道。而先生發之。凡學傷寒論者。不由此路。則不能至仲景氏之道也。學者其思旃。

一傷寒論所稱三陽三陰者。即所謂六經也。是仲景氏所以標病位。而分陰陽者也。而後世以爲經絡。其義不通。朱肱遂唱傷寒傳于手六經之說。王好古陶華之輩。翕然和之。嗚乎。背作者建新義以濟其說其違道可見矣夫以六經爲經絡則素問之義彼自有理此則標病位而分陰陽彼此固別也今稱之六經則恐學者之惑故稱六部也若其名義則解各篇首

一仲景氏之建言於陰陽非內經所謂陰陽二氣之義也是傷寒論之一大節不可不講明焉夫陽者何嘔暘是已陰者何寒冷是已是陰陽之本義也外此說微妙不測非仲景氏所謂陰陽也夫天地間自人身至萬物凡有生者得陽則

生失陽則死萬物生生不息皆陽爲之主宰也故傷寒論之例陽之和也爲常其不和也爲病至于其盡也是謂死矣故其建治道也一以和陽爲本而已矣而其爲病也千證萬候固不可究極然要之不出於陰陽二證也不和在於熱爲陽證在於寒爲陰證故熱證謂之陽病寒證謂之陰病卽主陽一氣而建言者而非內經所謂陰陽二氣之義也然間指表裏稱陰陽者假借之辭而又一例也

一先生之註釋至陽明篇小柴胡湯章而止自是而下至終篇及逼編偽章之註皆予之所補續也但狗尾續貂其不類也固矣然擬而巧不如拙而實竊倣朱文公大學補傳之例也

一徵辭辨註釋先生絕筆以下花孟一之所續也蓋孟一未脫稿而逝多不成章其間可觀者乃受先生之成說也故畧採舊文孟一待歡有日是以有異聞云

一徵辭辨之註文恢博緻密一章動至數百千言

初學苦望洋無津涯故節裁舊文嵌註本文使見者曉然間有章節斷續不便嵌註則隨舊文而已

一傷寒論之次序諸章非苟焉以此照彼以彼發此牽聯錯綜使微意含畜於次序之際者也故非通融讀之則不能得作者之本旨也今分章節解每節之後以示一端

一傷寒論之列方藥也先經方而後變方焉其先經方者病位之淺深與治法之大本也其後變

方者病位之分岐與治方之變化也學者因此精思則於其方藥可得通變之道矣

一中古知傷寒論爲方祖而不知其備萬病之治法近世稍知備萬病之治法而不知其所以備之名義諸說紛紛終無歸一也夫人身之疾病固無究極然所見其證未嘗有周六部者也唯傷寒之爲病陰陽表裏無不周遍變化逆順無有定位而吾域六部繫脈證而後陰陽表裏變化逆順猶視諸掌凡病之分陰陽取脈證無出

于六部者也是仲景氏之所以原於傷寒而寓萬病之治法於其中而名曰傷寒論者也是諸家所不能窺而先生發之實千古之愉快也

一傷寒論之所以稱備萬病之治法者以統綜凡病之陰陽脈證表裏逆順而包括之於六部而使學者變化在已處治無窮也若其衆方則瑣瑣焉者不必備焉與後世方書一病一證必舉方藥膠柱鼓瑟者天壤不啻也學者若能熟此道則一方可以治百病新方可以爲古方不必

拘拘方藥之古今唯運之如何已今好用古方
者不然視傷寒論如方書故其法則置而不講
唯方是用乃欲以論中之方盡治萬病是以牽
強拘泥方之與病不對其不取誤逆亦幸免耳
夫不能以無窮之法而變化應之而欲以有涯
之方而治無涯之病不思之甚矣今學古文者
採古書之成語連綴成篇乃語脈不接體段不
分何以文爲哉不知學文之法在體裁章節而
不管造語也彼好用古方者何異于此學者不

可不察焉

一張仲景氏之自序體裁議論與正文大異其爲僞撰明矣故不取又傷寒例平脈辨脈及痓濕暍霍亂陰陽易差後勞復不可發汗吐下篇皆後人所加托於本編無關涉故此編不收錄焉

一此編以宋版與成本對校從其善者若其可疑者傍取千金翼以備參考也

右所錄者講傷寒論之樞要也初學友覆熟讀則於仲景氏之道思過半也矣古人曰大

匠與人以規矩而不能使人工也。信哉予也。
幸遭遇先生受傷寒病論。沈潛數年。自顧似
有稍得於心。於是乎修續遺編。註僞章而至
于施事動手。則或失機會得罪於冥冥多焉。
乃知非讀書之難。而應事之難也。趙括之敗。
豈獨可非笑哉。雖然得之於心而後可以應
於手也。至其應於手。則才之與不才。各言其
天質已。而未有不得於心而能應於手者也。
小子深察焉。

淺野徽識

傷寒論特解目錄

目錄畢

傷寒論特解
卷目錄

傷寒論特解卷之一

大日本　安藝　靜齋齋先生著

門人　尾張　淺野徽元甫　補註

弟子　富田肥大順　校正

大陽病篇第一

補 張仲景氏、建六部、設病位之例、部陽病於三陽、部陰病於三陰、是陰陽二證之大別也、而大陽者、爲三陽之大本、少陰者、爲三陰之大本也、夫大陽者、猶云大表也、故其位在總體之大表也、又大者、隆盛也、陽者、陽病也、故其證主盛熱也、是以其於表、則自頭項強痛發熱汗出惡風、至身疼腰痛骨節疼痛惡寒無汗煩躁、凡表證、而非少陰者皆繫之大陽也。而其病之淺深劇易。則大異矣。故分為三等。曰中風。曰大陽病。曰傷寒。而區別其脈證。使學者隨其淺深。而得處治法也。然綜之則一大陽病也。故篇中稱大陽中風。或單稱中風傷寒者。不必拘焉。其於裏則自胸脇苦滿心痞結胸熱結大渴引飲。至腹滿腹痛小便不利下利穀食不化血證。凡陽病而非陽明少陽者。皆屬之大陽也。又醫治犯誤逆。則間多變陰者。故篇中亦具論焉。夫少陰雖為三陰之大本。然其證一歸虛寒。唯大陽廣博如此。凡陽病主熱。陰病主寒也。

大陽之為病。是明大陽病大表證發病之狀也。大陽者。標其病之所在之地位。而言之也。大陽猶云大表也。大陽之為病。猶云於大陽一體之地位為病者也。**脈浮**大表證之脈也。

頭項強痛頭痛項背強痛也。**而惡寒**頭項強痛。舉其淺。惡寒。舉其深。故曰而也。

云惡寒、則發熱可知也、若終不發熱、而但惡寒、則是陰證也、而不云發熱者、一則避下文中風傷寒俱是以發熱爲本也、一則明大陽病其始發病之時、多是緩而不暴急、以別中風傷寒發病之暴急也、此將明大陽病之地位、故置彼暴急之病、特擧大陽病之緩發、以示大陽之地位也、大陽病、其發病之候、猝然頭痛、而後惡風發熱脈浮者、及猝然項背強痛、而後惡寒發熱脈浮者、皆其證屬緩發此爲大陽病病發病之本候也、其實中風傷寒、皆爲大陽病中之一岐也、但以其發病暴急、故特設其名、以別大陽病也、大陽病亦有汗出者、亦有無汗者、要之、似中風而非中風、似傷寒而非傷寒者、亦冠以大陽病、故此云脈浮頭項強痛而惡寒者、特擧大陽病發病之正候也、言以頭痛爲本、而後惡風發熱脈浮者、及以項背強痛爲本、而後惡寒發熱脈浮者、皆其發病緩、此爲大陽病發病之本候也、

大陽病發熱是明中風發病之狀也先擧發熱者以別大陽病發病不發熱而緩也**汗出**言其大表證也中風亦有汗出者亦有無汗者其汗出者爲常證其無汗者爲變證也**惡風**示其淺也**脈緩者**傷寒脈陰陽俱緊之反也所謂陽浮陰弱者也**名爲中風**中者傷之淺也風者寒之易也言以發熱爲本而汗出惡風脈緩者是大陽病也但以其發病頗暴急而淺易故姑設其名曰中風也中風發病之候其鼻中鳴咽喉不和而發熱汗出惡風脈緩者此爲中風發病之本候也中風傷寒俱是大陽病而其發病之時亦俱暴急也而傷寒劇而深中風易而淺今欲明示中風傷寒之別故中風極擧其緩傷寒極擧其急欲其的然別之是言之勢也

大陽病或已發熱或未發熱是明傷寒發病之狀也先擧發熱者亦以別大陽病發病不發熱而緩也**必惡寒**言其深也**體痛嘔逆**其熱深也旣云或已

發熱、又云或未發熱、又云必惡寒體痛嘔逆、是明其始發病之時、必先惡寒、又已太暴急、而其邪又劇深也、**脈陰陽俱緊者、**又於陽浮陰弱者、亦言其邪深也、**名曰傷寒、**

傷者、中之深也、寒者、風之劇也、言以發熱爲本、其始發病之時、必先惡寒、又已太暴急、其邪既深、發熱惡寒體痛嘔逆、脈陰陽俱緊者、是又大陽病也、但以其發病極暴急、而尤太深劇、故姑設其名曰傷寒也、傷寒亦有汗出者、亦有無汗者、其無汗者爲常證、其汗出者、爲變證也、正傷寒發病之候、必先深擊惡寒、而後發熱體痛嘔逆、脈陰陽俱緊者、此爲正傷寒發病之本候也、傷寒發病其變雖多、而學者必認此、以爲本標、以求其變證、則必知陰陽之所在也、上擧中風極略其證、又極其緩、此擧傷寒、極詳其證、又極其劇者、是中風不要必審而別之、而傷寒欲必審其證而別之、愼處其治、故設中風之名、以的別傷寒之證、是立言之本意也、大陽病、及中風、及傷寒、合而舉之、則一大陽病也、故中風傷寒、俱冠以大陽病、而頭項強痛而惡寒者、獨云大陽之為病、總統而冠之、以籠罩中風傷寒於其中、中風傷寒、俱是病於大陽之地位、故中風亦有頭痛者、傷寒亦有頭痛者、中風亦有惡寒者、傷寒亦有惡風者、要之、中風傷寒病於大陽之地位、則有大陽之證、固其所也、凡稱大陽病者、以頭項強痛為本、而其始發病之時緩也、其邪有深者、又有淺者、故稱大陽病者、一再發汗、而後見陰證者有之、又漸而見陰證者有之、又終不見陰證者有之、中風傷寒、俱以發熱為本、而其始發病之時暴急也、而中風其邪淺、而易、傷寒其邪深、而劇、故中風其發病暴急、而其邪無根據也、傷寒其發病暴急、而其邪亦深於根據也、故傷寒其發病雖有似緩者、其邪之根據亦深也、故中風始於大表桂枝湯之證、而終麻黃湯大青龍湯之證、故中風其始猶無有帶陽明證者也、故終無有帶陰證者也、故中風其發病之時、雖云暴急、而其邪反淺、其稱太陽病者、發病之時、雖似緩者、而其邪反深、此不可不辦者也、傷寒始於麻黄大青龍、而至於白虎湯、其始發病之時、已有帶陰證者、又漸而帶陰證者有之、又終始不帶陰證者有之、故傷寒雖有終始不帶陰證者、亦甚少也、何則以傷寒發病之時、已處陰陽交也、故苟失其治、則必促其命期、是以傷寒之治、不可不審諦其證也、故此篇設中風之名者、中風傷寒、其始發病之時、其證暴急則同、其邪淺深、則大異、故設中風之名、以辦其疑似者、使人審諦傷寒之證、無誤其治也、故立中風之名、其意專在別傷寒之證、此立言之本志也、然而傷寒之證、其變最多、而不可先傳者也、故詳舉太陽病及中風之證、以辦其疑似者、使人自知除此之外、多是傷寒也、故自太陽桂枝之證、以至大小青龍湯、終不的舉傷寒之正證、要在使人自開悟其眞證也、故自非太覃思研精者、則不能窺其趣、是傷寒之大節也、不可忽畧之矣、然而總覽其所論列之前後、斟酌其歸趣、稱太陽病者、及中風傷寒、其發病之候、其數可槩而言也、然而稱大陽病者、及中風傷寒、俱病於大陽之地位、故稱大陽病者、有疑於中風者、有疑於大陽傷寒者、又中風有疑於稱大陽病者、有疑於傷寒者、又傷寒有疑於中風者、有疑於稱大陽病者、故審諦其證之道、欲必得其要領、而不迷其細岐也、審諦其證之道、在視其始發病之槩略、故今總覽其所論列之前後、斟酌其歸趣、姑擧其發病之數、以發明作者之所寓意者、明示學者、凡稱大陽病者、發病之證、其別有四焉、一曰正大陽病、二曰浮大陽病、三曰中大陽病、四曰深大陽病、所謂正大陽病者、是稱大陽病之者正面目也、以頭痛項背強爲本、尋而發熱惡寒者、是正大陽病而不涉疑路者也、所謂浮大陽病者、其證最在大表也、以頭痛爲本、尋而發熱汗出惡風者有之、又以項背強爲本、尋而發熱汗出惡風者有之、此二途者、浮大陽病也、而疑似於中風者也、所謂中大陽病者、比浮大陽病、其證深一等者也、項背強几几、發熱汗出惡風者、是中大陽病也、所謂深大陽病者、比中大陽病、其證深「又一等者也、以頭痛爲本、尋而發熱惡寒、身疼腰痛無汗而喘者有之、又以頭痛爲本、尋而發熱惡寒、骨節疼痛無汗而喘者有之、此二途者、深大陽病也、而疑似於傷寒者也、此四道者、特其常證耳、或頭痛發熱而不惡寒者有之、或項背強、無熱而惡寒者有之、其變不可勝言也、凡稱大陽病者、其所別於中風傷寒者、其發病之時緩也、其證或以前後至、其證或漸漸而見之、中風傷寒則不然也、其於中風者、發病之時、其別有五焉、一曰浮中風、二曰中中風、三曰深中風、四曰疑中風、五曰伏中風、所謂浮中風者、其證最在大表者也、其始發病之時、以發熱惡風爲本、而其惡風淅淅、發熱翕翕、鼻鳴汗出、其脈陽浮而陰弱者、是浮中風也、所謂中中風者、比浮中風、其證深一等者也、嗇嗇惡寒、翕翕發熱、汗出乾嘔、其脈陽浮而陰弱者、是中中風也、此二途者、正中風而不涉疑路者也、所謂深中風者、比中中風、其證深「又一等者也、翕翕發熱、淅淅惡風、頭痛身疼無汗而喘脈浮緩者有之翕翕發熱嗇嗇惡寒頭痛骨節疼痛無汗而喘脈浮緩者有之此二途者深中風也而疑似於傷寒者也此二途者其異於傷寒者特其脈浮緩耳然而及其施治則不問傷寒與中風但隨其現證以處其方者也所謂疑中風者是其熱半發半伏者也故謂之疑中風也發熱惡寒汗不出而身不疼但重乍有輕時脈浮緩者是疑中風也而疑似於伏傷寒者也所謂伏中風者其熱皆伏者也發熱惡寒發汗而不汗出煩躁其脈浮緊者是伏中風也而疑似於深傷寒者也此二途者以權時之治法發之發之而後知爲是傷寒爲是中風以正處其方者也凡此五道者特其常證耳其變不可勝言者也中風傷寒發病之時俱是暴急中風其異於傷寒者傷寒則劇中風則易也是醫人之所當注意者也其於傷寒者發病之時以惡寒爲先以發熱爲本而暴急其證亦已熱悍者也其別有六焉一曰正傷寒二曰淺傷寒三曰深傷寒四曰伏傷寒五曰陽

脈傷寒、六曰陰脈傷寒、所謂正傷寒者、其證在傷寒中、則不甚深者、但有陽證而無陰證、全病於大陽之地位、是傷寒之正證、故姑別為正傷寒也、或已發熱、或未發熱、必惡寒體痛嘔逆、脈陰陽俱緊者、是正傷寒也、其證已在太陽極深之地也、所謂淺傷寒者、其證非與正傷寒有淺深、但以疑似於深太陽病深中風之故、姑別為淺傷寒也、以其證發汗而汗出也、發熱惡寒、身疼腰痛頭痛、脈緊、無汗而喘者、是淺傷寒也、亦是正傷寒之一類也、所謂深傷寒者、其熱比於前證深一等、發汗而不汗出、其證疑似於伏中風者也、發熱惡寒、脈浮緊、發汗不汗出而煩躁者、發之知此傷寒是深傷寒也亦是正傷寒之正變也、所謂伏傷寒者、其熱皆伏而疑似於疑中風者也、發熱惡寒、脈浮緩、發汗不汗出、而身不疼、但重、乍有輕時者、亦發之知此傷寒是伏傷寒也、此深傷寒伏傷寒二途者、以權時之治法發之、發之而後知為是傷寒、為是中風、以正處其方者也、所謂陽脈傷寒者、其始發病之時、見陽脈而似帶陰證者也。脈浮、發熱惡寒、體痛、自汗出、小便數、心煩、微惡寒、脚攣急者、陽脈傷寒也、其證似易而太劇者也。所謂陰脈傷寒者、其始發病之時、以陰脈而帶陽證者也、脈微弱、發熱惡風、身疼痛汗出者、是陰脈傷寒也、其證亦似易最太劇者也。凡此傷寒六道者、特其常證耳、其變不可勝言也。右此稱大陽病者四道、中風五道、傷寒六道、皆在其始發病之時、故及其施治處方、但隨其現證、而不問其所由來、故稱大陽病者之方、可施之於中風之方亦可施之於傷寒、無他、隨其現證、而不問其所由來故也。論皆具於各方之下、故不具於此也。及其既發汗之後、雖隨其現證、必問其病之所由來、然後施其治、而處其方、是稱大陽病者、及中風傷寒之所以殊也、故其發汗之後、大抵稱大陽病者、以其表不和而入、及其裏以爲其治法、故其入陰證猶少也。中風以其熱無根據爲主、故其發汗之後、以表熱已盡、更引餘證以爲其治法、故中風終無有入陰證者也。傷寒以其熱有根據爲主、故其發汗之後、以其現證爲盛熱內攻之所致、以爲其治法、故傷寒入陰證者最多也、故中風之變、自五苓散之水逆、至小柴胡湯之證、以終梔子豉湯之陽虛也、稱入陽病者、其變至於少陽陽明、終於大陰少陰也、傷寒或帶少陰、或自白虎湯表熱之極、終入厥陰也、故傷寒獨貫窠六部者也、此其大概也、未必盡然、要使人知其歸耳、及其施治處方、則其變不可勝言者也、

問曰、本經之文、云大陽之爲病脈浮頭項強痛而惡寒、而不云發熱、下章云、大陽病頭痛發熱汗出惡風、又云、大陽病頭痛發熱身疼腰痛、均之皆本經之言也、而何先後之相矛盾乎、答曰、此欲就大陽病之中、標出中風傷寒、以明其別也、何以知之、曰、夫大陽病其證最博、而實病熱病爲其本證、此本證之中、發病之時、其證有緩發者、又有暴發者、又有以前後至者、又有併至者、若以一大陽病號之、則於施治處方、使人漫然無所下手、而致誤其治法、故就大陽發病之時、標出其緩發暴發之二

途以辨明中風傷寒及大陽病之異也中風傷寒皆其發病之時以發熱爲主而暴急也除此之外以頭痛爲主而發熱惡寒以項背強爲主而發熱惡風或其證以前後至其發病緩者皆歸之於一途號曰大陽病也本經將明中風傷寒以發熱爲主其發病暴急故總目大陽病之文姑略發熱而舉惡寒是欲使人審認中風傷寒是發病暴急也然而稱大陽病者亦以發熱爲其本證特其緩發是其異耳要之亦爲發熱病但其發病之時不必發熱耳故總目大陽病之文姑略發熱獨舉惡寒而於下章姑舉發熱欲明此意也又熟味總目大陽病之文云大陽之爲病脈浮頭項強痛而惡寒言頭項強痛以至中風傷寒總通而號之則一大是包二義也其云大陽之爲病而用之爲二字者陽病也而云中風傷寒者是大陽病中之一岐也故用之爲二字以爲其總冠之言又其下章俱冠以大陽病欲明此義是其一也其云頭項強痛而惡寒必用而字者言除中風傷寒之外諸稱大陽

病者、其淺證者、頭項強痛、以至發熱汗出惡風、其深證者、或至發熱惡寒體痛嘔逆也、故用而字、以明此義、是其二也、故麻黃湯證、曰頭痛發熱身疼腰痛骨節疼痛惡風無汗而喘者是也、何以知之、其文頭項強痛、擧其易證、而惡寒、擧其劇證、又用一而字、以間其上下、又其下中風章、先云惡風、以擧其易證、次傷寒章、云必惡寒、以擧其劇證、是其文之次序、自頭項強痛之淺證、中至惡風發熱汗出、終至必惡寒體痛嘔逆、然則總目大陽病之文、頭項強痛之下、包發熱汗出惡風者、而惡寒之下、包體痛嘔逆者、若不然者、其文爲不成也、然則稱大陽病者、及中風傷寒之別、中風傷寒、其發病暴急也、稱大陽病者、其發病緩也、又有其證以先後至者、故此篇稱大陽病者、有似中風傷寒者、稱中風傷寒者、有似大陽病者、其別皆在此也

又問曰、何以知中風傷寒爲是大陽病中之一岐乎、對曰、經文必欲明其義、故於此篇總目之文、云

太陽之爲病、而先標大陽病、次擧中風傷寒、管之於大陽病中、是大陽病爲本、而中風傷寒爲一岐也、中風傷寒、既病於大陽之地位、而大陽病亦病於其地位、故中風傷寒、管之於大陽病中也、又中風總目章曰、名爲中風、是就於大陽病中、特設其名也、桂枝湯證曰、大陽中風、陽浮而陰弱、大青龍湯證曰、大陽中風脈浮緊、十棗湯證曰、大陽中風下利嘔逆、凡此中風、皆帶大陽稱之者、是就於大陽病中、特假其名、以別大陽病也、又傷寒總目章、配之於中風曰、名曰傷寒、是明異物同類、而其證有劇易也、又小柴胡湯證曰、傷寒五六日中風、往來寒熱、甘草瀉心湯證曰、傷寒中風、醫反下之、是雖以傷寒爲主、而中風附之、而亦以爲異物同類、而其證有劇易也、又總目章、中風云惡風脈緩、傷寒云惡寒脈緊、必擧其反類、以明同類異物、而皆爲一岐之證、此所以中風傷寒爲大陽病中之一岐之明徵也、曰必明見外爲風寒所中傷而後號之乎、曰不然也、謂之法語、此作者苦心之所存也、大陽病中風傷寒、其證大率相同、而其病之劇易與其治之緩急、則大不同也、誤則有害、故姑立其名、以爲中風傷寒、而的審其別也、其爲風寒之所中傷與否、皆所不問也、我但據其所異、以致其的別而已、故曰名爲中風傷寒、而非實云爲風寒所中傷也、凡云名爲中風傷寒者、皆設法之語也、凡法語者、假設此語、使人以的審其證之所異者也、猶如清穀下利、必稱裏寒外熱也、裏寒外熱、此爲法語也、

又問曰、何以知大陽病、其發病緩、中風雖云其發病暴急也、而其邪毒反淺易乎、大陽病總目章曰、頭項強痛而惡寒、先用而字、以緩其言、以示大陽發病之緩也、桂枝湯證曰、大陽病頭痛發熱、葛根湯證曰、大陽病項背強几几、麻黃湯證曰、大陽病頭痛發熱身疼腰痛、此皆先擧頭痛項痛、而後及發熱、是頭痛項痛、其狀緩者也、發熱其狀躁暴者也、故其文必以頭痛項痛爲主、而明大陽病發病

之緩也。曰以中風爲淺易，何徵也。桂枝湯之證，先舉中風，次舉太陽病，是中風之易證最在表，而太陽病則雖是易證，猶其地位一層深於一層，故舉其所病之淺深之順，則中風在首，而太陽病在後，以其地位之本末舉之，則太陽病在首，管中風傷寒也。若不然者，則是太陽病篇也，當先舉太陽病而後舉中風於六部之大例爲順也。今先以中風置之於太陽病之上者，所以是其中風最在表而淺易之

明徵也

又問曰，何以知中風傷寒，其發病之時，俱是暴急，就其中，中風其暴急頗緩，而又易傷寒，其暴急愈暴急而又熱悍乎。曰，中風總目章曰，發熱汗出惡風，是太緩也。傷寒總目章曰，或已發熱，或未發熱，必惡寒體痛嘔逆，中風則云脈緩者，傷寒則云脈陰陽俱緊者，亦是中風太緩，而傷寒太暴急。又桂枝湯中風章曰，嗇嗇惡寒，淅淅惡風，翕翕發熱，其次章曰，太陽病，頭痛發熱，汗出惡風者，是中風則

太暴急、大陽病、則太緩、今通觀此四章、其總目二章、欲極明傷寒發病之暴急、故中風極明其緩、其桂枝湯二章、欲極明大陽病發病之緩、故中風極明其暴急也、要此二途之所歸、傷寒中風、其發病俱是暴急也、但中風比傷寒、其暴急頗緩也、比大陽病則大暴急也、又中風總目章曰、發熱汗出惡風脈緩者、極平淺其言、是欲明其證爲易故也、傷寒總目章、云或已、云或未、又復云必、極艱澁其言、是欲明其證爲慹悍故也、故曰、中風傷寒、其發病俱是暴急、就其中、中風其暴急頗緩、而又易、傷寒其暴急愈暴急、而又慹悍、以此明徵言之也、大陽病中風傷寒發病之別也、

又問曰、何以知爲欲使人審識傷寒發病之狀、故姑設中風之名乎、答曰、傷寒總目章曰、或已發熱、或未發熱、必惡寒體痛嘔逆、此云或已、云或未、又云必惡寒、是皆形狀其發病之言、而中風總目章曰、發熱汗出惡風脈緩者、是不必爲其發病作言、而於桂枝湯之證、始形狀中風之發病、是作者之

所屬意者、專在借中風以審定傷寒發病之狀、以傷寒中風、其發病之狀相似故也、故此中風傷寒總目章、略中風發病之狀、特詳傷寒發病之狀、是設中風之名、使人審識傷寒發病之狀故也、又曰、非唯使人審識中風傷寒發病之狀也、又欲使人先定其邪毒之劇易、而不爲其現證所惑也、又欲使人先定其邪毒之劇易、遂推原其病因、以審處其治、而不誤也、故中風總目章、極言其平易而緩、而傷寒總目章、極言其劇急而熱悍者、其意欲明中風諸證、其劇雖有類傷寒者、其邪毒反平易而緩、是不足爲深患也、傷寒諸證、其易雖有類中風者、其邪毒反劇急而熱悍也、是使夫施其治者、必先固占其所處、而不爲其現證所惑、以先定其邪毒劇易之地位也、既先定其邪毒劇易之地位、遂隨其現證、以處其方、則不至取大災、故先定中風傷寒邪毒劇易之地位、以定夫施其治者之本志也、凡中風傷寒之地位、中風其易者、以桂枝湯爲始、而其劇者、至於麻黃大青龍、其證皆如其地位、也、以中風邪毒平易而緩故也、傷寒以麻黃大靑龍爲其地位之正、而其證反有與中風桂枝證之易者相似也、又有與中風麻黃大靑龍湯之證相似者、是傷寒地位太深、而其證則有深淺、亦唯以傷寒邪毒之熱悍故也、是傷寒之證所以難辨也、故傷寒有其證似易、而其邪毒太深者、又有其證太劇、而其邪毒似易者、又有其證劇急熱悍而微見陰證者、是足誤人、尤可畏者也、又有其證劇急熱悍、而不見陰證者、是不足誤人、故未爲深患也、傷寒先明此四道、而後可以從政也、故桂枝湯之末、先明傷寒其證雖如易者、而其地位是深也、曰何謂也、曰桂枝湯、始之以中風發病之易、先明中風桂枝證之地位、終之以傷寒發病之似易者、以明傷寒終無桂枝證之地位、曰何以也、曰桂枝湯、先擧中風發病之狀、次至於大陽病桂枝加葛根湯之證、終之以用桂枝湯法、以明其地位、其次遂擧大陽病發汗若下後、已見陰證者、終又結之以傷寒發病似中風桂枝證之易者、其意猶如云傷寒其證雖似中風桂枝證之易者而其病之地位則大不同固不可與中風桂枝證同一口而論之也故先結桂枝湯之地位也既結中風桂枝證之地位而後欲明此傷寒發病似中風桂枝證者之地位故其次擧大陽病發汗若下後已見陰證者其終却擧傷寒發病似中風桂枝證者其意猶如云此傷寒發病似中風桂枝證者其證雖如易且在發病而其病之地位猶如大陽病之引曰發汗若下後已見陰證者其地位大深也曰何以徵之曰中風桂枝之證以至大青龍湯之證例皆擧大陽病中風傷寒發病之狀而未及發汗下後之證今此獨擧大陽病發汗下後之證爲欲明此傷寒發病似中風桂枝證者之地位故也非獨此此又欲明傷寒發病諸凡見易證者多與中風相亂者而誤其治使人必察陰陽之證以審識其地位而無爲輙見其易證遽處其方以引大災故曰反與桂枝湯欲攻其表是誤也是云與桂枝湯明傷寒似中風桂枝證者也云欲攻其表亦明其病之地

位深也。云此誤也者，明傷寒發病，諸凡見易證者，多與中風相亂，而誤其治也。又中風桂枝之證，云桂枝湯主之，明處其方，而此傷寒但云此誤也，而不處其本證之方者，欲使人審識中風之證，以愼重傷寒之治也。若處其方，則以約之也。夫傷寒之變無窮，其證又劇急慓悍，而以約之，則大誤於人也。故傷寒不處其方者，欲使人開悟傷寒之證，愼處其方，以不誤其治也。是審識傷寒之證者，在先審識中風之證也。是傷寒與中風桂枝證之易者相似也，又傷寒與中風麻黃大青龍湯之證相似者。大青龍湯之證，對擧中風而似傷寒者，與傷寒似中風者，是欲使人審識中風傷寒之證也。而中風大青龍之證，云不汗出而煩躁者，先與麻黃湯，其熱深劇，不使汗出，而致此煩躁也，不與無汗同也。是中風發病，以無煩躁爲正，而傷寒則發病或有之，是中風傷寒淺深之別也。故大青龍湯之證，中風則脈浮緊，發熱惡寒，先與麻黃湯，不汗出而後煩躁者，雖是似傷寒，猶大青龍湯攻之，而不疑、故云主之也、凡云主之者、皆攻之而不疑之辭也、傷寒則發病脈浮緩發熱惡寒、體不疼、但重乍有輕時、而無陰證者、雖是似中風、猶用權宜之法、以觀其後證、故曰發之也、凡云發之者、用權宜之法、以觀其後證之辭也、又傷寒則脈浮緊發熱惡寒、先與麻黄湯、不汗出、而後煩躁者、雖是無陰證、猶用權宜之法、大青龍湯發之、以觀其後證也、又傷寒發病脈浮緊、發熱惡寒、無汗煩躁者、雖是無陰證、又用權宜之法、大青龍湯發之、以觀其後證也、故中風則云大青龍湯主之、而作攻之而不疑之辭者、中風終無帶陰證者故也、傷寒則云大青龍湯發之、而作用權宜之法、以觀其後證之辭者、傷寒雖似易者、猶或有帶陰證者故也、凡此大青龍湯之證、必擧中風似傷寒、與傷寒似中風者一則欲明中風傷寒、難於審識其證、而使人注意辨之、慎重傷寒之處方也、二則欲明中風傷寒無見陰證者、皆隨其現證處方也、三則欲明使人必審識陰陽之證、而不誤其治也、是審識傷寒之證者在先審識中風之證也是傷寒與中風大青龍湯證之劇者相似也何謂傷寒之正曰傷寒是爲大陽之病故無陰證者爲正而在大陽中最爲深劇則當審識其證愼重其治不可爲一定之方以災於人也是以麻黃湯章擧大陽病而包中風其傷寒易者亦在其中也而大陽病劇者其發病頗緩不與傷寒相亂故云大陽病麻黃湯主之以爲一定之方中風劇者與傷寒相亂故愼重其治於大青龍湯始云主之以爲一定之方也無他與傷寒相亂也傷寒易者法當與麻黃湯而麻黃湯章不擧傷寒之處方大青龍首章猶不擧傷寒之處方至於大青龍末章始擧傷寒似易證者猶不處一定之方而作權宜之言愼重傷寒處方之至也故中風劇者與麻黃湯雖或不汗出煩躁而其地位已定故大青龍湯主之傷寒與麻黃湯雖或不汗出煩躁而其地位未可定也已與大青龍湯而後其地位始定故至於小青龍湯始云主之也故中風大青龍湯則中風發病一轉之後方也傷寒

小青龍湯則傷寒發病一轉之後方也然而亦皆猶如其發病也凡傷寒或已發熱或未發熱必惡寒體痛嘔逆脈陰陽俱緊者是爲傷寒之正證其地位在麻黄大青龍湯之中間其易證者與麻黄湯其劇證者與大青龍湯以觀其後證又脈浮緊發熱惡風身疼腰痛骨節疼痛無汗而喘者是淺於正證者也又脈浮緊發熱惡寒身體疼痛無汗而煩躁者又發熱惡寒脈浮緩發汗汗不出而身不疼但重乍有輕時者此二者是深於正證者也此四者傷寒陽證而發病之正也又脈浮自汗出小便數心煩微惡寒脚攣急者有之又脈微弱發熱惡風汗出身疼痛煩躁者有之此二者傷寒有陰證而發病之變也凡此六道者傷寒發病之大梗也不可不審識其證者也

【補】問曰中風傷寒俱是大陽病中之一岐也而篇中中風則稱大陽中風傷寒則單稱傷寒去大陽二字者何也對曰是所以大別中風傷寒也夫大陽者純陽之標名也而中風亦純陽證而無有帶

陰證者也、故稱大陽中風者、標無陰證也、傷寒則不然、其初總目章所擧、則雖純陽證也、然至其變證、十中七八多帶陰證者、故稱大陽傷寒、則名不正也、名不正、則學者或誤認帶陰以爲純陽、則大從于人也、故去大陽二字、單稱傷寒者、所以大別中風傷寒、而作者之所寓深意者也、

以上三章、爲大陽病篇之總目也、大明大陽病中風傷寒發病之別、以照中風桂枝之證至大小青龍湯、使入審識大陽病中風傷寒發病之正變也、

傷寒一日、大陽受之、脈若靜者、爲不傳、頗欲吐、若躁煩、脈數急者、爲傳也、

補 素問傳經之法、一日傳一經、故二日當傳陽明、頗欲吐、若躁煩、脈數急者、爲傳陽明之徵也、

傷寒二三日、陽明少陽證不見者、爲不傳也、

補 是

與前章同議論也、

右二章、後人偽章、而非本編之義也、本編中風桂枝湯證、有乾嘔、傷寒總目章、有嘔逆、又中風大青龍湯證、有煩躁、其他嘔吐脈數等、大陽證猶多矣、而今頗欲吐、若躁煩脈數急者、何爲必傳陽明少陽乎、且本編之例、大陽病與陽明或少陽併病、則二部之證併起者也、合病則大陽病二三日、或四五日、而合於陽明或少陽者也、除此之外、大陽特證、大抵自五六日至十餘日、見陽明少陽之證者多矣、其傳與不傳、未可以二三日論之也、是今徵事實不差者也、可見以空理建論者迂闊已甚、與本編天淵不啻已、學者察焉○凡通編空上一字書圜中者後人之偽章也、後皆倣之

大陽病、發熱而渴、不惡寒者、爲溫病、若發汗已、

身灼熱者、名曰風溫。風溫爲病、脈陰陽俱浮、自汗出、身重、多眠睡、鼻息必鼾、語言難出。若被下者、小便不利、直視、失溲。若被火者、微發黃色、劇則如驚癇、時瘈瘲。若火熏之、一逆尚引日、再逆促命期。

補　本編建六部、而區別萬病之陰陽脈證表裏逆順、以論定病道之大本、而中風傷寒之外、無立病名而論、是所以爲醫聖之書者也。而今擧溫病一道者、於本編爲懸疣也。其出於後人審矣。且文章冗雜無統理也。

病有發熱惡寒者、發於陽也。無熱惡寒者、發於陰也。發於陽者七日愈、發於陰者六日愈。以陽數七、陰數六故也、【補】是以風傷衛爲發於陽、以寒傷榮爲發於陰者、非本編建六部分陰陽之例也、又以火成數七、水成數六、故云七日六日愈者、陰陽生旺之說已、且世間妄有六日七日必愈之病乎、

大陽病頭痛至七日已上自愈者、以行其經盡故也、若欲作再經者、鍼足陽明、使經不傳則愈、【補】是鍼家之說、非本編之義也、

大陽病欲解時、從巳至未上、【補】六經各以旺時解、大陽旺巳午未也、是陰陽生旺之說、不足取、

風家表解而不了了者、十二日愈、【補】了了、猶惺惺也、云十二

日愈者亦傳經之說也

病人身大熱反欲得衣者熱在皮膚寒在骨髓也身大寒反不欲近衣者寒在皮膚熱在骨髓也【補】本編舉脈證辯寒熱表裏至矣盡矣此章以欲衣與不辨之其術亦疎矣

大陽中風陽浮而陰弱大陽中風者中風即病於大陽之地故中風必帶大陽言之也陽浮而陰弱形容其脈浮緩之狀也陽浮者熱自發陰弱者汗自出此二句為法語也凡作法語者非云必有之要使人審識其病證之本因而施治處方以出其奇也言陽浮者於法為不須藥力而熱自發也陰弱者於法為不須服熱藥湯而汗自出也又有熱不自發汗不自出必須藥力者是明中風汗出之義也嗇嗇惡寒嗇嗇謂如束濕

薪也。**淅淅惡風**淅淅謂如灑冷水也。**翕翕發熱**翕翕謂如炎氣之發也。嗇嗇淅淅翕翕明其猝然之病也。又明其暴急也。**鼻鳴**謂鼻中不和而鳴也。舉其淺證也。**乾嘔者**舉其深證也。**桂枝湯主之**此章有五義。一則明中風發病暴急而猝然之病也。二則明中風發病、其證有劇易先後也。三則明中風與傷寒易者相亂也。四則明中風專是表熱而無裏證也。五則明中風之病、桂枝湯之所主之地域之始終也。所謂明中風發病暴急而猝然之病者、惡寒云嗇嗇、惡風云淅淅、發熱云翕翕、是皆其發病暴急之狀、而猝然之形也。然其邪毒不熱悍者也。中風總目章、對傷寒者也。故極舉其緩。此章明發病之狀、故極其暴急之形。中風雖有其發病比之於太陽病之發病、頗是暴急也。比之於傷寒之發病、則爲緩也。是太陽病中中風傷寒發病之別也。故曰一則明中風發病暴急而卒然之病也。所謂明中風發病、其證有劇易先後者、此云熱自發汗自出者、卽總目章所謂發熱汗出惡風脈緩者、是中風之易證也、又有惡風汗出其熱後發者、又有惡風發熱其汗後出者、是其證有先後者、何以言之、陽浮者熱自發陰弱者汗自出、此二句以法言之、故知有此三證也、又有惡風惡寒發熱乾嘔并發者、是中風之劇證也、故曰二、則明中風發病其證有劇易先後也、所謂明中風與傷寒易者相亂者、惡寒發熱乾嘔、而嗇嗇淅淅翕翕汗出者、是中風之劇證也、惡寒惡風發熱嘔逆汗出者、是傷寒之易證也、而其中風傷寒異者、中風者鼻中不和而鳴、其汗出乾嘔者、是中風也、傷寒者嘔逆汗出者是傷寒也、又其惡風惡寒發熱乾嘔與桂枝湯無汗者、是中風也、惡寒惡風發熱嘔逆無汗、身不疼、但重乍有輕時、是傷寒也、其中風傷寒異者、中風者乾嘔無汗、傷寒者嘔逆無汗身重乍有輕時、是中風劇證傷寒易證之別也、故曰三、則明中風與傷寒易者相亂也、所謂明中風專是表熱而無裏證者、中風自陽浮而陰弱熱自發汗自出之易證、以至惡寒惡風發熱乾嘔之劇證、猶無有陽明之裏證也、而況陰證乎、而大陽病始有帶陽明證者、故桂枝湯及桂枝加葛根湯與葛根湯有之、是大陽病其方以其證之漸次遷焉、而中風自陽浮陰弱熱自發汗自出之易證、以至惡寒惡風發熱乾嘔之劇證、一是以桂枝湯而不遷焉、中風解表熱之外、更無其治法故也、若中風有裏證、則表裏各異其治、先治其表、然後及其裏證也、故此章自陽浮陰弱熱自發汗自出、以至惡寒惡風發熱乾嘔之劇證、總擧其兩端、而以一桂枝湯主之、故曰、四則明中風專是表熱而無裏證也、所謂明中風之病桂枝湯所主之地域之終始者、凡中風之病、其候之法、惡寒惡風發熱鼻中不和而鳴是中風之候法也、而其汗出與汗不出、則不可一定、故以法言之、然而中風爲表熱、故其汗出者十居七八、而爲常證、其汗不出者、是爲變證也、凡中風發熱汗出惡寒者、及惡風汗出、其熱後發者、及發熱惡寒汗不出者、及惡寒惡風發熱乾嘔者、其證雖有淺深、皆桂枝湯所主也。故中風發熱汗出惡風、以至惡寒惡風發熱乾嘔者、皆爲桂枝湯所主之地域也。故曰五則明中風之病桂枝湯所主之地域之終始也。其乾嘔以往者、非復桂枝湯所主之地域、卽是麻黄大青龍湯之所主也。故中風無葛根湯之證、而大陽病獨有葛根湯之證也。凡中風之治法、桂枝之證、先與桂枝湯而汗不出者直以麻黄大青龍湯發之。若有表裏兩證、則先與桂枝湯以解其表、而後攻其裏證、是皆中風之治法也。故中風桂枝之證、旣與桂枝湯以發其汗、而後喘而汗出者、非復中風、是大陽病也。故以葛根黄連黄芩湯主之。若與桂枝湯汗不出而喘者、仍是爲中風麻黄大青龍湯主之也

凡中風之候法、先候其鼻中不和而鳴、咽喉不和也、旣有此候、或發熱惡風汗出者、及惡風汗出者、及發熱惡風汗不出者、及惡寒惡風發熱乾嘔者、而皆無陽明裏證、則卽爲中風也。其有陽明裏證、

則表裏各別也若惡風惡寒發熱汗出而無鼻鳴咽喉不和之候又加頭項強痛及陽明裏證者則即爲太陽病也凡桂枝湯證云汗出者是有二途一則身經躁動或食熱食或炎蒸之時其汗自出者是不須藥力者也二則不與湯藥之前汗不出及服湯藥之後或須溫覆而汗出者是須藥力者也若無故而其汗漏不止此謂漏汗非桂枝湯之證也凡桂枝湯之證云汗出者非爲中風大陽病之證設此言也而爲明桂枝湯之地位設此言也又明其證在大表而淺易也故桂枝湯非發其汗者是以其證非汗自出者則不能除其病也故用桂枝湯之法先與桂枝湯以和其表然後溫覆以發其汗於是其病得除也故中風發熱汗出惡風以至惡寒惡風發熱乾嘔其證雖有淺深皆爲桂枝湯之地域也然而其深證惡寒惡風乾嘔者或其鼻中不鳴者多是無陽明裏證者也是中風大陽病之辨也

桂枝湯方

桂枝三兩　芍藥三兩　甘草二兩

生薑三兩　大棗十二枚

右五味㕮咀以水七升微火煮取三升去滓適寒

温服一升服已須臾歠熱稀粥一升餘以助藥力

温覆令一時許遍身漐漐微似有汗者益佳不

可令如水流漓病必不除若一服汗出病差停

後服不必盡劑若不汗更服依前法又不汗後

服小促其間半日許令三服盡若病重者一日

一夜服周時觀之服一劑盡病證猶在者更作服若汗不出者乃服至二三劑禁生冷粘滑肉麵五辛酒酪臭惡等物【補】右服已以下所謂煩碎冗長與正文大不類其出於後人審矣且本編云大陽病三日已發汗則桂枝湯發汗之法既具服法亦自備其中而今所論于此如歠熱稀粥温覆及服法瑣細膚淺不足建以為法也又自服一劑盡以下其意與上段重沓無異義矣讀者察焉

大陽病頭痛發熱汗出惡風者桂枝湯主之此章明大陽病疑於中風者凡云大陽病者不與中風之證同也大陽病其發病之時以頭痛為本而後發熱惡風或身經躁動而汗出或食熱食而汗出或炎蒸之時而汗出或服湯藥後必須温覆而汗出者

是其證爲在大表也、若有此證、而又候其鼻中不鳴、則卽爲大陽病之最淺者也、故大陽病頭痛而惡風汗出者、及頭痛發熱惡風、而汗出者、及頭痛發熱惡風汗出、而少見陽明證者、及頭痛惡風汗出不發熱、少見陽明證者、若鼻中不鳴、則卽大陽病之淺證、而皆桂枝湯之所主也、

大陽病、項背強几几、是明大陽病深於頭痛發熱汗出惡風等者也、項背強几几者、於法爲其證頗深也、**反汗出惡風者、**是其證頗深者、其邪不在大表、法當無汗、今反汗出惡風、是猶在大表、而頗及其淺裏門也、凡大陽病及中風、發病汗出者、皆爲其證在大表而淺者、故云反也、惡風惡寒之別、惡風其邪淺、而易者也、惡寒其邪深、而劇者也、是其大概也、然而亦有惡風惡寒併至者、亦有惡寒而不惡風者、觀其餘證與脈、以視其邪之淺深、而處治方也、

桂枝加葛根湯主之、是大陽病以項背強几几、爲本、反汗出惡風、又其鼻中不

鳴則爲大陽病深於大表之證一等者桂枝加葛根湯主之也若項背強几几反汗出惡風發熱者亦桂枝加葛根湯主之若項背不強汗出惡風而有陽明下利之證者此爲表少裏多亦桂枝加葛根湯主之若項背強几几無汗惡風惡寒而有陽明下利之證者此爲表多裏少非復桂枝加葛根湯之所主是葛根湯之所發也

大陽病及中風治方之別中風者自陽浮陰弱熱自發汗自出之淺證以至惡風惡寒發熱乾嘔之深證苟有其汗出者皆以一桂枝湯主之過之以往直爲麻黃湯之所主也大陽病者其最在大表者桂枝湯主之又其深一等者桂枝加葛根湯主之又復其深一等者葛根湯主之又復其益深一等者麻黃湯主之何則大陽病其證一轉者其邪亦一轉而深故其治方隨證而遷者也中風者獨主表熱故但以汗之有無遷其治方其方獨在解其表熱而已是大陽病及中風治方之別也

桂枝加葛根湯方

桂枝湯方中加葛根四兩水煮與本方同法

補 宋板所舉桂枝加葛湯方大誤故今正之

大陽病下之後其氣上衝者可與桂枝湯方用前法若不上衝者不可與之

補 言大陽病服桂枝湯其表不解醫以爲此表不解者爲腹中不和之故也於是下之而其表仍不解其氣上衝者可復與桂枝湯方其服法亦如前以發汗則愈云前法者斥桂枝湯之服法也

右不知本編之例者也大陽病服桂枝湯其表不解者假令有腹部之證當猶解表而後攻裏也若不解表而先下之則例當云大陽病不解而反下之也又下之表熱幸不入于裏仍有頭

痛發熱惡寒等則例當云大陽病不解而反下之表證仍在其氣上衝者也何則不足以其氣上衝一證徵表證仍在也且大陽病表證頭痛發熱嘔逆等皆其上衝之所爲而葛根湯麻黄湯大青龍湯證皆然則不可特擧之以爲桂枝湯一方之主證也又若大陽病表證仍在而反下之胃中空虚表熱入于裏其氣上衝則固非桂枝之證是不待辯也又以服法揷入于正文中者非本編嚴正之體也要之後人苟且之文其義不備如此通編僞章皆此類也

大陽病三日已發汗

凡大陽病發汗之法大陽病始得之之日先發其汗周時觀之若病不除則明日再發其汗又病仍不除則明日三發其汗既已三發其汗而表證仍不除者雖似是大陽病大表之證而非復大表之證此爲壞病故大陽病發汗之法以三日爲度故曰大陽病三日已發汗是也此章有四義一則明大陽病多有表裏證者也二則明大陽病發汗解其表而

有吐下之證猶在者也、三則明內有吐下之證之故、外見似大陽病大表之證者也、四則明大陽病深證、而反見似大表證者也、言大陽病頭痛項背強、發熱惡風惡寒汗出、而胸中如煩、腹中如不和者、與桂枝湯及桂枝加葛根湯、而表裏之證俱解者有之也、是雖有裏證、而爲大表證之所致也、是所謂一則明大陽病多、有表裏之證者也、又大陽病、大表之證、既與桂枝湯及桂枝加葛根湯表證已解、或胸中之證猶在者有之、或腹中之證猶在者有之、是非復大表之證、觀其部位、隨證治之、是所謂二則明大陽病發汗解其表而有吐下之證猶在者也、

若吐、若下、若溫鍼、

此云溫鍼者、例當在吐下之上、今反在下者、明大表之證仍未解而吐下之也、大陽病發病之時、胸中如煩、窒、而其表頭痛項背強、發熱惡風惡寒者有之、大陽病發病之時、腹中如不和、而頭痛項背強、發熱惡風惡寒汗出者有之、大陽病表如感寒冷、而頭痛項背強、發熱惡風惡寒汗出者有之、治

此三證者，於法當治其大表之證，與桂枝湯而發其汗也。既與桂枝湯而發其汗，頭痛項背強，發熱惡風惡寒仍不解，而胸中猶煩窒者，是其本證在胸中而一時停滯之故，致此頭痛項背強發熱惡風惡寒也。法當吐之而除其表證。既與桂枝湯而發其汗，頭痛項背強，發熱惡風惡寒仍不解，而腹中猶不和者，是腹中有所痞塞而致此表證也。法當下之而除其表證也。既與桂枝湯而發其汗，頭痛項背強，發熱惡風惡寒仍不解者，是以表感寒冷之故，致此表證也。法當以溫鍼而除其表證也。既經吐下溫鍼，仍有餘證者，並觀其脈與證，先舉其證，以脈合之而處其方。是非犯其逆，所謂餘證也。此皆所謂三則，明內有吐下之證故，外見似大陽病大表之證者也。

仍不解者，此為壞病，桂枝不中與也。

大陽病本是緩病之故，其發病之時，先見大表之證，頭痛項背強，發熱惡風惡寒汗出，併必見胸中煩窒，先與桂枝湯而發其汗。既與桂枝湯而發其汗，表證仍不和、胸中煩窒如、故則法當吐之而除其表證也、既已吐之、表證仍不除者、其脈證必有變動、是雖似大陽病大表之證、而非復大表之證、是即大陽深證也、其有變動者、此爲醫以藥攘其本證、以致此病也、雖桂枝證仍在、而桂枝不中與也、大陽病發病之時、先見大表之證、頭痛項背強發熱惡風惡寒汗出、併少見腹中不和者、先與桂枝湯而發其汗、既與桂枝湯而發其汗、表證仍不解、腹中如故、則法當下之而除其表證也、既已下之、表證裏證仍不解者、雖似是大陽病大表之證、而非復大表之證、是即大陽病深證也、其脈證有變動者、此爲壞病、桂枝不中與也、大陽病發病之時、但見大表之證、頭痛項背強發熱惡風惡寒汗出而無餘證者、先與桂枝湯發其汗、既與桂枝湯而發其汗、表證仍不解者、此爲表感寒冷、則當以溫鍼而除其表證也、既已溫鍼而表證仍不解者、雖似是大陽病大表之證、而非復大表之證也、是即大陽病深證也、其脈證有變動者、此爲壞病、桂枝不中與也是四則明大陽病深證而反見似大表證者也**觀其脈證**不得專以其現證處其方並觀其今脈與今證也**知犯何逆**審知犯吐逆下逆溫鍼逆以合之於本證斟酌其脈證也**隨證治之**謂先舉其證而後以脈合之以處其治也凡大陽壞病見其變動之證者純陽之證分爲三等曰大表證曰間證曰裏證有表間併者有表裏併者有表多間少者有表少裏多者有表間裏均等者又有見陰陽之證者有陽多陰少者有陽少陰多者有陰陽均等者故并觀其脈與證審知吐下發汗溫鍼犯何逆先舉其證以脈合之以處其治也此舉大陽病之逆治也凡稱逆治者醫與其湯藥而其脈證反變動而劇者也中風大陽病治法之別中風與桂枝湯終非是逆治是所謂誤治也大陽病有似淺而深者故時有逆治也大陽病見大表之證者其人體必強壯故其有胸中之證當以瓜蔕散類吐之凡吐之者於治法其湯藥雖劇而爲不成虛寒陰

證、故十中七八用劇藥、末為誤治也、大陽病見腹部之證、當以調胃承氣湯小承氣湯類下之、凡下之者、於治法為成虛寒陰證、故下而治之之法、常須識此、然明常法而已、非盡然、其承誤逆之後、而治之、亦以此為法、此學者之用心也、若發汗後見桂枝加附子湯及桂枝去芍藥加附子湯類之諸證者、雖有吐下之證、必先治其大表證及陰證、而後吐下之證仍在者、始吐下之、是治方先後之大概也、而不必拘、要學者之用心於此也、

桂枝本為解肌、此以下舉大陽病之誤治、而中風亦在其中也、言大陽病既已三日、既已三日發汗、若病在肌表、則當解也、既已三日發汗、表證仍不解者、雖似大表桂枝之證、非復桂枝之證、當以溫鍼吐下解之、若在中風、則為其熱之深者、非復桂枝之證、麻黃大青龍湯之所主也、故曰桂枝本為解肌、非復為深證也、**若其人脈浮緊發熱汗不出者、不可與也、**若其人脈浮緊發熱、雖似桂枝大表之證、非復

桂枝大表之證也若其人似桂枝大表之證而發
熱先與桂枝湯而汗不出者其證雖云是似復桂
枝之證桂枝湯不可與也須
此二證者最當爲愼重也**常須識此勿令誤也**者
不許無此之辭也識此者眠識此也心識此也必
須眠識心識者不得遽然過之必須眠觀其證而
審識此汗不出者必須心諦其脈而審識此浮緊
者必須審識表解否勿爲現證所惑以致誤治也
若其誤治則使病反深也凡稱誤治者既與湯藥
後前證猶依然者也必須眠識心識者使學者不
爲現證所惑而審識淺深陰陽之證以處其治也
故若於中風之治非桂枝湯則麻黃大青龍湯也
大陽病異於此必隨其證淺深之分寸而治之各
異其方是中風大陽病治方之辨也不可不知也
以上本論四章明大陽病中風治方之別也
始一章明中風之易證也其次一章明大陽
病似中風而最在大表者也其次一章明大
陽病深於最在大表者一等終一章明逆治

誤治、以審桂枝湯之地位也、是大陽病篇也、例當舉大陽病、而及中風、而今先舉中風、後舉大陽病者、以明中風其證最在表、而大陽病雖似中風、其證稍深也、中風治方主解其熱、故非桂枝湯、則麻黃大青龍湯也、大陽病其地位一層深於一層者也、其末章舉逆治誤治者、以明桂枝湯之地位、其於表熱者、但爲解肌、非復發汗劑也、故須其汗出者也、

若酒客病、不可與桂枝湯、得湯則嘔、以酒客不喜甘故也、

【補】此章膚淺不足取、

喘家作桂枝湯、加厚朴杏子佳、

【補】此章與本編桂枝加厚朴杏仁湯同、而彼則有所主、此則漫然之言、不足取、

凡服桂枝湯吐者、其後必吐膿血也、

【補】服桂枝湯吐者、何

必其後吐膿血也、假有一人之變證、可例推乎、

太陽病發汗、遂漏不止、其人惡風小便難、此舉大陽病表證仍在而少見陰證、其病在下而上衝者也、小便難、非云小便不利也、小便雖利而難澁也

四支微急、云四支之急微深也、非云四支攣急之類也、難以屈伸者、雖可屈伸、難於容易也、非謂不可屈伸也、

桂枝加附子湯主之、其人惡風小便難者、是表證仍在、而其病在下、而上衝者也、發汗遂漏不止、四支微急、難以屈伸者、陰證在裏、而內不能攝外者也、言大陽病、雖在發汗後、而其人惡風小便難知是猶有桂枝湯證、又陰證在裏、而不能攝其下、故使小便難也、又不能攝外、加之四支微急、難以屈伸者、故加附子、挽起虛寒陰證、而桂枝湯以治之、故曰桂枝加附子湯主之也、若大陽病發汗、遂漏不止、其人惡風小便數、四支微急、難以屈伸者、

是爲陰證在上不能攝下、而下不和也、甘草附子陽主之、若發汗遂漏不止、其人不惡風、微惡寒、小便數、心煩、四支攣急不可屈伸、其脈浮者、此陽虛在上而不能攝下、故使小便數、先與甘草乾姜湯以復其陽、四支仍攣急者、與芍藥甘草湯也、

桂枝加附子湯方

桂枝湯方中加附子一枚、水煮與本方同法、

大陽病、下之後、此擧陽證在上而無腹部之證者、與陰陽證倂在上而無腹部之證者也、云下之後者、一明無腹部之證也、一明致虛寒之故也、脈促胸滿者、桂枝去芍藥湯主之、大陽病下之後、脈促胸滿者、是爲陽證在上也、以下之故、腹中空虛、其氣上衝使之然也、非復腹部不和而致此證、故桂枝去芍藥湯主之也、若微惡寒者

去芍藥方中加附子湯主之、若下後、脈促胸滿微惡寒者、此為陰陽兩證倂在上者也、以下之故、引虛寒陰證也、去芍藥方中加附子湯主之、若不差、身體疼痛、不能自轉側、此為陰證多陽證少而深者、桂枝附子湯主之、若大陽病下之後、脈浮胸滿微惡寒者、此為陽虛在上、以脈與證知之、甘草附子湯主之也、

桂枝去芍藥湯方

桂枝湯方中去芍藥、水煮與本方同法

桂枝去芍藥加附子湯方

桂枝湯方中去芍藥加附子一枚、水煮與本方同法、

大陽病得之八九日如瘧狀發熱惡寒熱多寒少其人不嘔清便欲自可一日二三度發脈微緩者爲欲愈也脈微而惡寒者此陰陽俱虛不可更發汗更下更吐也面色反有熱色者未欲解也以其不能得小汗出身必痒宜桂枝麻黃各半湯

【補】此章分三節始一節言大陽病得之八九日表熱當入于裏而不入寒熱如瘧其熱多寒少一日二三度發則表證將解也且其人不嘔則心胸中無事也清便自可則腹中無事也而其脈微而緩則表裏和也是爲欲愈也中一節言若無寒熱其脈微而惡寒者是陰陽俱虛也不可更發汗吐下也終一節是接始節爲欲愈也言雖其脈微緩者爲欲愈然面

色反有熱色則以不能得小汗出故其熱怫鬱而未欲解也其身必痒是其徵也宜以桂枝麻黃各半湯少發其汗也

右以病名論證者非本義也本編建六部區別萬病而論脈證者於其病之狀情本證傍證具備其中無復所遺而今以病名論者舉一隅而遺三隅者也又清便者即清穀下利本編以為裏寒之候也今此章清為圊義而論陽證者亦非本編之字例也又此句突然出之無所上接之但削去欲字則可又一日二三度發句當在于熱多寒少下不然則不通又云陰陽俱虛者非本編陰陽之義本編之例陽者言實熱陽證陰者言虛寒陰證故云陰陽俱虛者為不通也今脈微而惡寒者依本編之例則陽虛之證也又面色反有熱色之反字為不通何則寒熱如瘧而面有熱色者其常證則不得云反也又若脈微而惡寒者既是陽虛則假令面色反有熱

色、亦當從事于陽處之治例也、豈可復與桂枝麻黃各半湯乎、不知本編之治例也、

桂枝麻黃各半湯方

桂枝一兩十六銖　芍藥一兩　甘草一兩

生薑一兩　麻黃一兩　杏仁二十四箇　大棗四枚

右七味、以水五升、先煮麻黃一二沸、去上沫、內諸藥、煮取一升八合、去滓、溫服六合、補按桂枝湯麻黃湯各取三分之一、非各半也、暫存舊耳、且此方及桂枝二麻黃一湯桂枝二越婢一湯皆合二方爲一方者、蓋且無卓見、亦出於後人之一徵也、

大陽病、初服桂枝湯、反煩、不解者、先刺風池風

府、卻與桂枝湯則愈、【補】服桂枝湯而反煩不解者陽氣壅重不得汗之所爲、而麻黃湯之地位也、且桂枝湯證、以汗出爲主、則無陽氣壅重之證也、是不知本編之治例也、

服桂枝湯大汗出、脈洪大者、與桂枝湯如前法、若形如瘧、日再發者、汗出必解、宜桂枝二麻黃一湯、【補】服桂枝湯、雖大汗出、然其脈洪大者、則是表證仍在也、當復與桂枝湯、服法亦如前、則再汗出、脈和愈也、若形如瘧、日再發者、大勢既殺、餘邪將出之兆、再得小汗則必解、宜桂枝二麻黃一湯、

桂枝湯之證、雖以汗出爲主、然無大汗出之證、且其脈浮弱或浮緩者也、今服桂枝湯而大汗

出其脈洪大者是邪不爲汗衰恐有亡陽之機是誤逆而搗壞桂枝之本證者法當審諦其脈證而救誤逆也豈可復與桂枝湯誤上加誤乎況用桂枝之服法歠熱稀粥溫覆一時則其變不可圖也可謂鹵莽甚矣且本編擧治後之變證者必並擧其本證與方劑而照今之證以推其變之所由而使學者得治法之變化於其際者也未曾有突然擧方劑如斯者也又不擧冒首則無知病之大本故此章依本編之例當云太陽病服桂枝湯反大汗出脈洪大者也是一定之例也

凡冒首者擧病之大本者也故不擧之則不可知病道之陰陽故本編必先擧之而後說其證候是一大例也凡通編無冒首者皆後人之僞章也

桂枝二麻黃一湯方

桂枝一兩十七銖　芍藥一兩六銖　麻黄十六銖

生薑一兩六銖　杏仁十六箇　甘草一兩二銖　大棗五枚

右七味、以水五升、先煮麻黄一二沸、去上沫、内諸藥、煮取二升、去滓、温服一升、日再服。補按、桂枝湯取四分八之二、麻黄湯取四分四之一、以爲一方也。

服桂枝湯、大汗出後、大煩渴不解、脈洪大者、白虎加人參湯主之。補服桂枝湯、大汗出後、其脈洪大者、雖是表證仍在、然大煩渴不解、則裏熱亦盛也、故宜白虎加人參湯主之也。前章、服桂枝湯、大汗出、脈洪大者、以爲表證仍在、而與桂枝湯、此章因加大煩渴不解一證、以爲裏熱盛、而與白虎加人參湯也、然則此章之證、表裏並在也、夫本編白虎加人參湯之證、以熱結在裏而無表證爲主候者也、又有其表不解者、不可與白虎湯之誡、今此證雖有大煩渴一證、然未備口乾舌燥欲飲水數升脈滑等、則不可以爲熱結在裏也、其脈洪大以爲表脈、則不可以爲無表證也、是表則犯不可與白虎湯之誡、裏則無熱結在裏之主證、而與白虎加人參湯者、非啻不知本編之治例、表裏且不分者也、且大陽病發汗後、脈浮數煩渴者、本編五苓散之所主也、學者當講明焉、

大陽病、發熱惡寒、熱多寒少、脈微弱者、此無陽也、不可發汗、宜桂枝二越婢一湯、〔補〕不可以麻黄湯大青龍湯直發汗也、但宜以桂枝二越婢一湯和之也、

右大陽病輕證、而方證相對、然脈狀與方證相矛楯也、何則微弱者陰脈也、故大青龍湯章云、若脈微弱汗出惡風者、不可服也、此章發熱惡寒、而其脈果然微弱、則陽證陰脈、當從事於陰證之治例、豈可復與桂枝二越婢一湯哉、夫微脈之爲陰也、不待辯、況微而弱乎、而以此章之微弱、及桂枝麻黃各半湯章之微脈、爲陽證候者、可謂杜撰甚矣、遺大害於後人者也、又云無陽者、於本編之例爲不通也、說見凡例。

桂枝二越婢一湯方

桂枝十八銖　芍藥十八銖　甘草十八銖　生薑一兩三銖

大棗四枚　麻黃十八銖　石膏二十四銖

右七味㕮咀、以五升水、煮麻黃一二沸、去上沫、

內諸藥煮取二升去滓溫服一升補按桂枝湯取八分之二越婢湯取八分之一以爲一方也越婢湯方編中無矣後人之加托亦可見焉

服桂枝湯或下之仍頭項强痛翕翕發熱無汗心下滿微痛小便不利者桂枝去桂加茯苓白术湯主之補太陽病頭項强痛無汗者服桂枝湯不解醫以爲腹部不和故不解乃下之則水證上衝心下滿微痛小便不利則雖表證仍在當棄表治裏也桂枝去桂加茯苓白术湯主之

五苓散證雖有表裏然以其人既汗出而水證爲本故棄表治水證則表裏俱解也此章雖有水證然表證未全解則當倣小青龍湯之例齊治表裏也而今棄表而治裏者不知本編之例

也、

傷寒脈浮、自汗出、小便數、心煩、微惡寒、脚攣急、此擧傷寒發病、似有大表證而無大表證、似有陰證而無陰證、而無腹部之證、而或有腹部之證、其本病是爲陽虚者也、脈浮汗出惡寒、是似大表證者也、自汗出心煩小便數微惡寒、是似陰證者也、脚攣急、是以陽虚之故、致此攣急也、又時有腹部胃中不和、而致此攣急者也、此章命爲陽虚者也、反與桂枝湯、欲攻其表、此誤也、自汗出小便數心煩微惡寒、雖是似陰證、而其脈浮者、是其證爲不深也、而脚攣急、非胃中不和者、則其陽證不和者也、此二者、皆爲陽證、故此章之證、命爲陽虚也、即此陽虚、於法得之便厥、不可專攻表也、故云反、又復云誤也也、咽中乾、煩躁吐逆者、作甘草乾薑湯與之、以復其

陽若厥愈足溫者更作芍藥甘草湯與之其脚卽伸若胃氣不和讝語者少與調胃承氣湯

本是陽虛反攻其表此猶適彼所欲厥而我成其厥故自得之便厥也脚攣急本是陽虛之所為也今先與甘草乾姜湯以復其陽而後更與芍藥甘草湯則其脚卽伸也脚攣急亦有胃中不和而致之者故與調胃承氣湯也

若重發汗復加燒鍼者四逆湯主之

若與桂枝湯一攻其表而猶未厥再發其汗而猶未厥則非復陽虛也三加燒鍼而後厥者其證雖同陽虛咽中乾煩躁吐逆而是陰證無疑也凡云與者如與此藥以觀其後證之辭也此章再云與之者既是傷寒又似有陰證故云與之以作觀其後證之辭深恐誤陰證以為陽證也其慎重陰證之治者如此學者不可不察也誤陽證以為陰證猶可也誤陰證以為陽證大引其災故四逆湯獨云主之也凡云

主之者、攻之而不疑之辭也、言病人發病、卒然添攣惡寒、其惡寒所謂微惡寒、而心煩自汗出小便數脚攣急、其脈浮者、此爲傷寒陽虛之證在上者、與甘草乾姜湯、以觀其後證、若諸證不罷、脈浮變滑、無大熱者、白虎湯主之、若與甘草乾姜湯、諸證皆罷、仍脚攣急者、更與芍藥甘草湯、則其脚卽伸、以甘草乾姜湯先復其陽故也、若與芍藥甘草湯、其脚不伸者、此爲胃中不和之所致、少與調胃承氣湯、以和胃氣、却與芍藥甘草湯、則其脚卽伸也、其脈浮自汗出小便數心煩微惡寒脚攣急者、此爲陽虛之證在上者、法當咽中乾煩躁吐逆、今無之者、適未發此證耳、故其脈浮自汗出小便數心煩微惡寒脚攣急咽中乾煩躁吐逆者、亦猶先與甘草乾姜湯、以復其陽、更與芍藥甘草湯、以伸其脚也、若醫見其發病脈浮自汗出微惡寒者、誤以爲大表之證脈浮汗出惡寒者、而不知是陽虛裏證、反與桂枝湯、欲攻其表、此誤也、得之便厥、始見陽虛在上之證、咽中乾煩躁吐逆者、故先作甘草

乾姜湯與之以復其陽若厥不愈諸證如故則是
厥陰證也當歸四逆加吳茱萸生姜湯主之若作
甘草乾姜湯與之而其厥愈足温者非是陰證更
作芍藥甘草湯與之其脚卽伸若作芍藥甘草湯
與之而其脚不伸攣急者是以胃中不和之故致
此攣急也少與調胃承氣湯以和胃氣却與芍藥
甘草湯則其脚卽伸是以先和胃中之故其脚卽
伸也若傷寒脈浮自汗出小便數心煩微惡寒脚
攣急反與桂枝湯而攻其表一發其汗而猶未厥
再發其汗而猶未厥是非陽虚三加燒鍼而致其
厥此爲陰厥無異四逆湯主之若致此陰厥咽中
乾煩躁吐逆者此爲厥陰證當歸四逆加吳茱萸
生姜湯主之也此類舉桂枝加附子湯及桂枝去
芍藥加附子湯及甘草乾姜湯之證者明傷寒發
病似桂枝之證者使學者審諦其異也大陽病發
病卒然深摯惡寒發熱其人惡風自汗出小便難
四支微急難以屈伸其脈浮者此爲傷寒大陽表
證與陰證併在其病在下而上衝者與桂枝加附

湯。若見厥者。四逆湯主之。若大陽病發病。卒然深攣惡寒發熱。其脈促。胸滿微惡寒。此為傷寒陰陽兩證併在。而無腹部之證者。與桂枝去芍藥加附子湯。若見其厥者。為厥陰之證。當歸四逆加吳茱萸生姜湯主之。若此證而見其厥。咽中乾。煩躁吐逆者。亦為厥陰之證。當歸四逆加吳茱萸生姜湯主之。若大陽病發病。卒然深攣惡寒發熱。其脈浮。自汗出。小便數。心煩微惡寒。脚攣急。咽中乾。煩躁吐逆者。此為傷寒陽虛之證。而無陰證者也。與甘草乾姜湯。若見其厥者。當歸四逆加吳茱萸生姜湯主之也。是傷寒發病之所當審諦者也。

以上本文三章。以明傷寒發病之易者。猶與大陽病引旨。發汗下後。頗見陰證者。同其地位也。而傷寒章。反舉陽虛證者。是以發病故。舉陽虛。以示學者治法之用心也。雖復傷寒其發病見陰證者。非其常故也。其云反與桂枝湯。欲攻其表。此誤也者。明傷寒之證。雖復

發病而絕無桂枝湯證之地位也此處尤難
辨識故曰誤也以示其辨識之法也始一章
明大陽大表之證與陰證併在者中一章明
大陽間證與陰證併在者終一章明似大表
證而非大表證似有陰證而無陰證其證陽
虛而在始中二證之中間也以示大陽病傷
寒其證雖異苟同其地位則其治法是同也
與中風專於解表熱者不同也然而傷寒之
於中風其發病則相似者而其治法則如此
其異然則傷寒中風之證不可不辨識者也
何以知此三章為明傷寒發病擧之曰自大
陽中風桂枝之證以至小青龍湯皆擧發病
者也而此獨擧大陽病發汗下後而後及
傷寒故知此為傷寒發病擧其地位也
右七章是大陽病篇也當先擧大陽病而首
章擧大陽中風尾章擧大陽傷寒誤用桂枝
湯者以明傷寒其證熱悍之故其發病雖深
而猶有與中風桂枝證相誤者也又此七章

之内其始四章先舉中風次舉大陽病者以明中風其證最在表而中風之治法更無解表熱之外而大陽病一層深於一層其治法隨變也其終三章先舉大陽病發汗下後之證而後舉傷寒發病易者以明傷寒發病雖云如易而非復與大陽病中風桂枝證同曰而論之者也故桂枝大陽病中風之證先結其證然後明傷寒發病之地也大數與大陽病發汗下後者同其證也

甘草乾薑湯方

甘草四兩　乾薑二兩

右二味以水三升煮取一升五合去滓分温再服

芍藥甘草湯方

芍藥四兩　甘草四兩

右二味以水三升煮取一升五合去滓分溫再服

調胃承氣湯方

大黃四兩　甘草二兩　芒硝半斤

右三味以水三升煮取一升去滓內芒硝更上火微煮令沸少少溫服

四逆湯方

甘草二兩　乾薑一兩半　附子一枚

右三味以水三升煮取一升二合去滓分溫再服

強人可大附子一枚、乾薑三兩。【補】強人以下、後人之所加托也。何以知之、夫本編處方之例、在其發病、則隨其見證與脈狀、而處其方。若在其發汗後、或誤逆之後、則諦其所由來、以合今之脈證、而處其方。故若人之強羸、則自包括其中矣。是法則之所以無騫虧、而未嘗有因強人羸人、異其處方也。

問曰、證象陽旦、按法治之而增劇、厥逆、咽中乾、兩脛拘急而讝語。師曰、言夜半手足當溫、兩脚當伸。後如師言。何以知此。答曰、寸口脈浮而大、浮則爲風、大則爲虛。風則生微熱、虛則兩脛攣。病證象桂枝、因加附子參其間、增桂令汗出、附子溫經亡陽故也厥逆咽中乾煩躁陽明內結讝語煩亂更飲甘草乾薑湯夜半陽氣還兩足當熱脛尚微拘急重與芍藥甘草湯爾乃脛伸以承氣湯微溏則止其讝語故知病可愈【補】此章文理混淆不可讀其出於後人審也

桂枝去桂加茯苓白朮湯方 此方脫于前故出于此

桂枝湯方中去桂枝加白朮茯苓各三兩水煮與本方同法

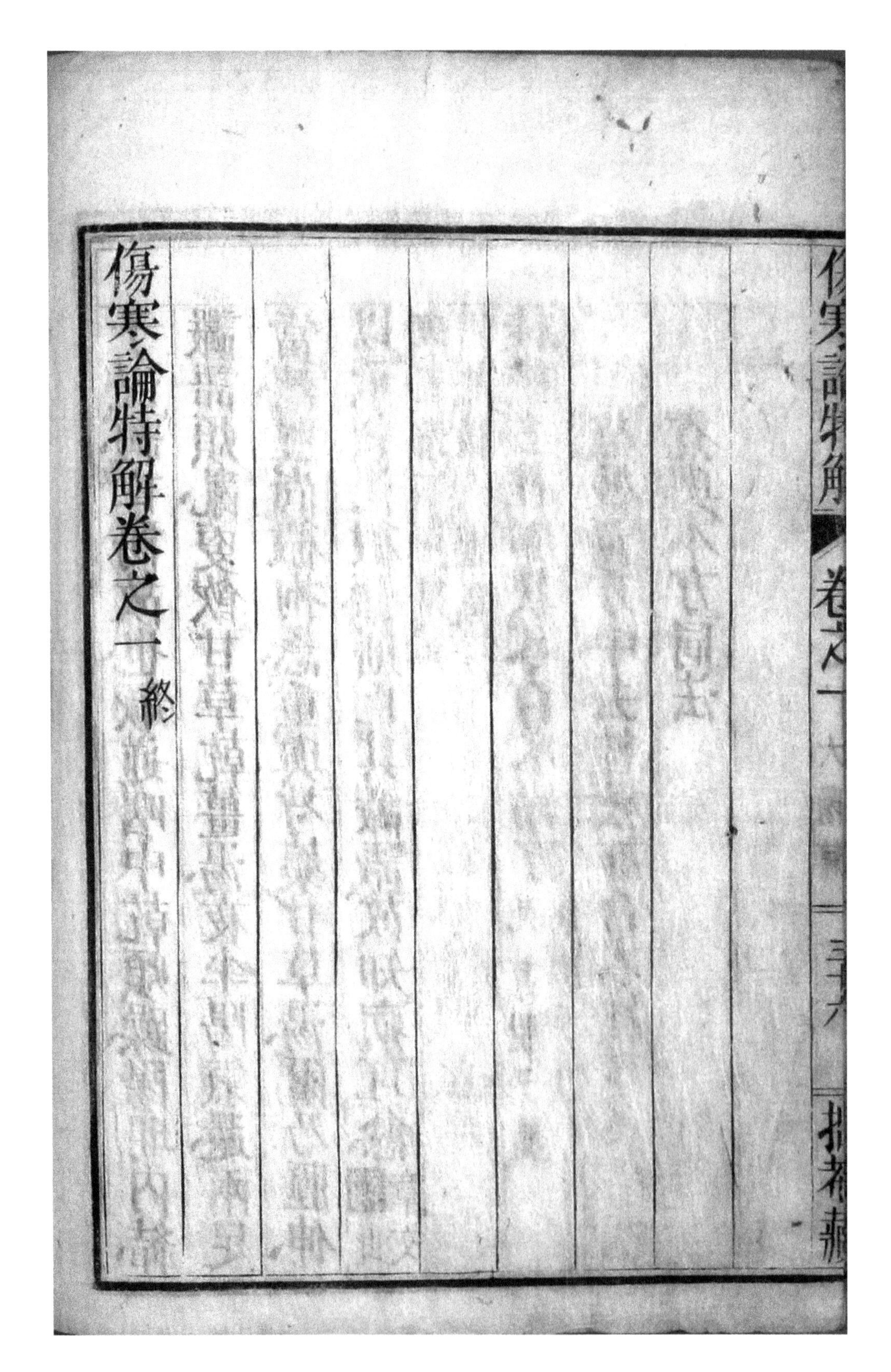

傷寒論特解卷之一終

提耳談　當荘菴先生著　全部五冊

此書ハ本道婦人科外科ニ至マテ各病門ヲ分ケ多年經驗セシ所ノ手段診脉按腹ノ手術ヲ以テ所因ヲ分テ病源ヲ探リ古人ノ藥方ヲ用テ或ハ加減シ或ハ合方シテ當時ノ病苛ヲ救ヒ又世ニ勞瘵ト称スル病ニヲイテ先輩未發ノ奇論ヲ發ス實ニ治療當世ニ叶ヒ至ル便捷ナル道ヲ述タル書ナリ

蘭薬鏡原　吉田成徳直心先生譯選　全五十巻内三巻出来

此書ハ原名「獨魯傑列印」トイフ和蘭本草集成ノ書ヲ譯スル所ニシテ金石草木鳥獣昆蟲及ヒ造醸等ノ類ニ至ルマテ一ツモ残ス所ナク一品コトニ和漢ノ名ヲ記シ其性ノ温涼酷毒ヲ辨シ彼邦ニテ製煉ノ術ニヨリテ藥精ヲ取リ露水ヲ製シ膏油酒醋等ヲ製造スルコトニ至ルマテオヨソ藥物ニアヅカルコトハ微細ニコレヲ論シ精密ニコレヲ辨セル書ナリ

和蘭内外要方　吉雄尚貞伯元譯　全部十二冊

此書ハ西洋ノ名醫英哥圓甫爾ト著ストコロニシテ癰疽金瘡骨傷卒中熱病利疾痘疹等ヨリ下疳便毒其外黴毒諸症ニ至ルマテ類聚シテ六十二門ヲ分チ毎門治論ヲ示シ内外藥方若干ヲ載タリ西洋ノ書ニ於テ一字ヲ解スル事能ハザルノ人トイヘトモ此書ニヨリテ學ブトキハ直ニ其奥旨ヲ盡シ居ナガラニシテ教ヲ一萬里外ノ師ニ受ケ其成功ニ於テハ數年螢雪ノ労ヲ積テ親ラ西洋ノ書ニ通スルノ人ニヒトシカルベシトイフ

吐方撮要　角洲加古先生著　全部一冊

此書ハ吐方ヲ行フ階梯ノ最一ニシテ専古醫書ニ徴シ普ク吐方ヲ用ヒテ痊ヘキ難病ノ症ヲ委シク挙且吐方ヲ心易ク用フヘキ術ヲ述諸病ニワタリテ廣大ノ益アル事ヲ示ス　附録黴瘡治方論ハ世ノ黴毒ノ治療ノ謬ヲ論シ古人未發ノ説ヲ考定シ痼病ヲ起スノ方法ナラビニ治術ノ手段ヲクハシクシルセルモノナリ

傷寒論特解
二

傷寒論特解卷之二

大日本　安藝　靜齋齋先生著

門人　尾張　淺野徽元甫　補註

弟子　富田肥大順　校正

大陽病篇第二

大陽病、項背強几几、此舉大陽病發病太表間證之外限之地位也、凡大陽病頭痛發熱惡風而其證躁急者、此爲大表證也、雖其證如劇而其邪反淺也、項背強几几頭痛惡風、其證不太躁急者、此爲間證也、雖其證如易而其邪反深也**無汗**舉間證地位之徵證也、**惡風、**舉其證猶淺也、**葛根湯主之、**桂枝加葛根湯之章、舉主大表之證而及其間證者也此葛根湯之章舉主其間證而及大表者也桂枝加葛根湯之證云項背強几几反汗出此云項背強几几無汗惡風者明間證無汗之地位也葛根黃芩黃連湯之章云喘而汗出又舉葛根間證之地位也故學者能明此地位則不必項背強几几雖有頭痛發熱惡風者猶時用葛根湯治之也其要在審識無汗與汗出也大陽病頭痛發熱惡風者既與桂枝湯以發其汗不汗出者是屬間證無汗者也葛根湯主之若項背強几几惡風頭痛者與桂枝加葛根湯以發其汗而不汗出者是屬間證無汗者葛根湯主之若大陽病項背強几几無汗惡風者此爲間證無汗者也葛根湯主之若大陽病項背強几几無汗惡風既與葛根湯汗出而大表證罷又得喘者此爲間證之地位不和而上攻者葛根黃芩黃連湯主之也

葛根湯方

葛根四兩　麻黄三兩　桂枝二兩　芍藥二兩

甘草二兩　生薑三兩　大棗十二枚

右七味，以水一斗，先煮麻黄葛根，減二升，去白沫，内諸藥，煮取三升，去滓，溫服一升，覆取微似汗，不須歠粥，餘如桂枝法將息及禁忌。

【補】覆取微似汗以下，後人所杜撰也。凡桂枝湯之外，麻黄葛根大小青龍等之劑，皆以發汗爲主，則當覆取汗也，何以微似汗爲乎，不知方藥之主證也。

大陽與陽明　此擧大陽病發病大表間證之内，限而不上攻者也。大陽者，謂頭痛發熱惡風及項背強者也。陽明者，謂腹中不和，或少有腹滿而其腹滿不足言者，或下利者也。合病

者、凡云合病者、其病本元一、而其地位及他部者也、故大陽與陽明合病者、大陽大表之間證、施及陽明、而使腹部不和者也、

必自下利、葛根湯主之、

必者、懸斷之辭也、故大陽與陽明合病者、雖不下利、葛根湯主之、其下利者亦葛根湯主之、云自下利、謂不須湯藥而自下利也、其謂必自下利、使學者知與葛根湯之後而有見下利、亦猶與葛根湯而不疑也、其已有下利者、亦與葛根湯不疑也、大陽與陽明合病者不問下利與不下利、皆與葛根湯者、欲使學者審其病之地位、與其藥之地位也、言大陽病頭痛惡風、而腹中不和、此與陽明合病者也、葛根湯主之、又大陽病發熱惡風、少有腹滿之證、此與陽明合病者也、亦葛根湯主之、又項背強几几、惡風、而下利者、此與陽明合病者也、亦葛根湯主之、若大陽病項背強几几、惡風、而喘者、先與葛根湯、諸證皆罷、而仍喘者、葛根黃芩黃連湯主之也、

大陽與陽明合病、此大陽與陽明合病者、謂腹中不和、及少有腹滿者也、此擧大陽病發病大表間證之內限而上攻者也、**不下利、但嘔者**、明葛根湯證淺深之地位也、**葛根加半夏湯主之**、大陽與陽明合病不嘔、但下利者、固葛根湯證之地位也、若大陽與陽明合病不下利、但嘔者、亦葛根湯證之地位也、若大陽與陽明合病、下利嘔逆併有者、非復葛根湯證之地位也、當審觀其證、以識其地位、而處其治者也、言大陽病頭痛發熱惡風、腹中不和、不下利、但嘔者、此與陽明合病者也、葛根加半夏湯主之也、又大陽病項背強几几、少有腹滿、不下利、但嘔者、此與陽明合病者也、亦葛根加半夏湯主之、若大陽病頭痛發熱惡風、下利嘔逆、少見少陽證者、非復與陽明合病者、此與少陽合病也、非復淺證也、黃芩加半夏生薑湯主之、若大陽病頭痛發熱惡風、腹中痛欲嘔吐者、非復與陽明合病者、此爲胸中有熱、胃中有邪氣、非復淺證是爲深證黄連湯主之也桂枝湯之證其病最在大表者也桂枝加葛根湯之證其病主在大表而施及間證者也葛根湯之證其病主間證而施及大表者也間證之地位其表以項背強几几爲限其裏以陽明腹滿下利爲限也葛根黄連黄芩湯之證與葛根湯之證同其地位而無大表證者也請以比喩明辨其地位凡大陽病發病之地位其淺深之别譬如一二三四五六七八九十也其一二三者是爲大表證桂枝湯之所主也其主一二三而及四五者桂枝加葛根湯之所主也其主四五六而及三二一又及七八者是葛根湯之所主也但主四五六而無三二一之證獨有七八之證者葛根黄連黄芩湯之所主也然則葛根湯之所主在四五六其主八九十而外及六五四與三二一者麻黄湯之所主也此大陽發病地位之辨也故學者苟審其地位之所在則不必拘其現證又未必不拘現證故大陽病

頭痛發熱惡風、身體強几几、脈反沈遲者、金匱以爲括蔞桂枝湯之證也、大陽病、頭痛發熱無汗、而小便反少、氣上衝胸、口噤不得語者、金匱反爲葛根湯之證也、是皆審其地位、而施其治方者也、亦古之遺法也、故學者於其病之地位、與其湯藥之地位、不可不辨識也、

葛根加半夏湯方

於葛根湯方內加半夏半升、**水煮同本方**、

大陽病桂枝證、醫反下之、此擧大陽病發病之後、表裏各異其證者也、凡大陽病桂枝證、最在大表、則於法爲無施及腹中不和之地也、故大陽病桂枝證、下之爲逆、故云醫反下之也、**利遂不止、**醫既下之、利遂不止者、非爲表證內攻、而致利遂不止、是於法爲表熱盛、故胃氣不能運其外、而却自下利、故治其表證、則其利自止者也、若利不止者、既治其表、而後

治其利也、**脈促者、表未解也、**凡脈一二來、遲、三四來、數、者、名曰促脈也、此有表有裏之脈也、故知表未解也、**喘而汗出者、**汗出以明大表證已解也、喘以明餘熱不和、在間證之地位也、**葛根黄芩黄連湯主之、**言大陽病桂枝證、於法爲無腹中不和之證、而醫反下之、是爲逆治、病必不解、續得下利、利遂不止、脈促者、爲表未解、却與桂枝湯、以發其汗、則其利自止也、既與桂枝湯、以發其汗、汗出而利仍不止、又加喘者、是爲餘熱不和、在間證之地位、而上攻者、葛根黄連黄芩湯主之也、既與桂枝湯、以發其汗、不汗出、而利仍不止、又加喘者、其表證易者、先與葛根湯、以發其汗、則其利自止也、既與葛根湯、以發其汗、汗出而利仍不止、喘者、與葛根黄連黄芩湯主之也、若既與桂枝湯、以發其汗、不汗出、而利仍不止、又加喘者、頭痛發熱、表證大盛者、先與麻黄湯、以發其汗、既與麻黄湯、以發其汗、汗出而利仍不止、微喘者、却與葛根黄連黄芩湯也、若中風桂枝證、醫反下之、利遂不止、脈促者、却與桂枝湯、以解其表、既與桂枝湯、其表不解、不汗出、喘而利仍不止者、麻黃湯主之、以中風爲表熱病故也、既與麻黃湯、汗出、利仍不止、微喘者、非是中風證、此爲餘熱不和、在間證之地也、葛根黃連黃芩湯主之也、

大陽病桂枝證、於法爲無腹中不和之證、故下之爲逆治、彰彰乎明也、而曰利遂不止、脈促者、表未解也、是明有大陽病下之、以解其表之法也、然而下之以解其表、是爲變法也、時引其災、故此編獨舉其正法、微示其變法也、何以之故、曰大陽病、是表熱之病、其腹中不和者、皆表熱之所波及、故表熱爲本、而腹中不和爲末、是以先治其本、則其末自治也、若先解其表、而其表不解者、權行此變法也、下之亦有正法、有變法、何謂正法、自葛根湯之證以往、下之爲變法中之正法也、如桂枝諸證、下之爲變法中之變法也、何用而下之、曰大柴胡調胃承氣小承氣湯之類是也、此大陽病治方變證

之別也、不可不知也、

右四章、始一章、明葛根湯間證、而但有表證者也、第二章、明葛根湯間證之有表裏證、而不上攻者也、第三章、明葛根湯間證之有表裏而上攻者也、此上三章者、其證雖有表裏、其本爲一病者也、第四章、又明表裏證併在、而表裏各別者也、此第四章、於葛根湯三章後舉之者、一則明葛根湯之證、雖併有表裏證、其本爲一病也、桂枝湯之證、併有表裏證者、表裏各別也、二則明葛根湯之於桂枝湯其地位雖異、大陽猶相近者也、桂枝湯獨主大表、而葛根湯主其間證、而及大表、未爲隔其段級也、麻黃湯之於桂枝湯葛根湯、爲隔一大段級、故於此結桂枝葛根二湯、而使更起麻黃湯、此作者之微旨也、

葛根黃芩黃連湯方

葛根半斤　甘草二兩　黃芩三兩　黃連三兩

右四味、以水八升、先煮葛根、減二升、內諸藥、煮取二升、去滓、分溫再服。

大陽病、此舉大陽病中風傷寒發病大表裏證之熱盛暴急而純陽證者也、此云大陽病者、包中風傷寒言之也、凡大陽病及中風傷寒、其證皆大陽純證、而絕無有似陰證、特以其證暴急、盛熱內入而上攻為主者也、不問是大陽病是中風是傷寒、但見是大陽純證而無陰證、則麻黃湯主之、故此通為大陽中之全病而治之也、此麻黃湯之證、不別中風傷寒者、麻黃湯所主、不出大陽純證之盛熱、故云大陽病、包中風傷寒大陽純證之盛熱也、頭痛發熱身疼腰痛、骨節疼痛、皆盛熱內入而無汗、故使之然也惡風不云惡寒而云惡風、明猶在表

也、因明下大青龍之證、是在陰陽兩證之交、與麻黃湯純陽之證異也、**無汗而喘者、**明此喘盛熱內入而上攻、故致此喘、若發其汗、則其喘自止、故云而也、因明此身疼腰痛骨節疼痛、亦皆盛熱內入而此云頭痛發熱身疼腰痛骨節疼痛無汗、故使之然也、**麻黃湯主之**惡風無汗而喘者、其發病之時、非云必悉具此數證、是明自頭痛發熱惡風無汗而喘之劇證、其表熱暴急而無汗者、皆麻黃湯之所管也、與葛根湯無汗異者、葛根湯主其間證之表不和而有熱者而不主其盛熱也、麻黃湯主其裏證之表熱暴急、而不主其地位之不和也、要之、葛根湯其所主易淺、而不主其熱、而麻黃湯其所主劇深、而主盛熱是二湯之別也、凡麻黃湯之所主者、論其地位、則在太陽中、其熱在太陽之半表半裏、猶如小柴胡湯證之在半表半裏、但小柴胡之證、主裏證之結者、而不主表熱、麻黃湯主太陽裏證、表熱、而不主裏證之結、故麻黃湯之證、表熱之在半表半裏者

也、小柴胡湯之證、裏證之在半表半裏者也、又大青龍湯之證、其證頗疑帶陰證、而其熱懲悍也、麻黃湯之證、其證雖似劇者、而不終帶陰證、其熱無根據、是純陽之不疑者也、此亦二湯之別也、又麻黃湯之證、亦有脈浮緊者、而此不擧脈浮緊者、麻黃湯之脈浮緊、此其變者、而非其正故也、凡脈浮緊者、其證必有疑似陰證者、而其脈之地位、亦在陰陽兩證之交、今麻黃湯之所主、是純陽之熱證、故不擧脈浮緊者、正麻黃湯之地位也、而麻黃湯之證、亦有脈浮緊者、其證皆是陽證、而脈浮緊者也、故大青龍湯大陽中風章曰、脈浮緊、發熱惡寒、身疼痛、不汗出而煩躁者、大青龍湯主之、既是中風、則其證淺易、大青龍湯於法不可與也、但其脈浮緊、又加煩躁、故與大青龍湯也、其云不汗出而煩躁者、已與麻黃湯而不汗出者也、然則其脈浮緊、雖是大青龍湯證、而發熱惡寒身疼痛、是爲純陽證、故先與麻黃湯也、又傷寒總目章曰、或已發熱、或未發熱、必惡寒體痛嘔逆、脈陰陽俱緊者、是其脈雖緊而其證皆爲純陽證故麻黃湯主之也若或似陰證而非陰證或不汗出而煩躁其脈浮緊者雖云發熱惡寒體痛嘔逆亦是大青龍湯之所主也故此章不擧傷寒而云大陽病者明傷寒中風純陽之證皆籠罩此中也是麻黃湯不以脈浮緊爲正而爲其變候之義也言大陽病發病頭痛發熱惡風無汗者麻黃湯主之又頭痛發熱惡寒身疼腰痛無汗者亦麻黃湯主之又頭痛發熱惡寒喘而無汗者亦麻黃湯主之又頭痛發熱惡寒骨節疼痛喘而無汗者亦麻黃湯主之也中風發熱惡風無汗者麻黃湯主之又發熱惡寒身疼腰痛無汗者亦麻黃湯主之又發熱惡寒骨節疼痛喘而無汗者亦麻黃湯主之又其脈浮緊發熱惡寒身疼痛無汗者亦麻黃湯主之也傷寒發熱惡寒體痛嘔逆脈陰陽俱緊無汗者麻黃湯主之又發熱惡寒骨節疼痛無汗而喘其脈浮緊者亦麻黃湯主之也是麻黃湯所主熱證之大梗也

麻黄湯方

麻黄三兩　桂枝二兩　甘草一兩　杏仁七十个

右四味、以水九升、先煮麻黄減二升、去上沫、内諸藥、煮取二升半、去滓、溫服八合、覆取微似汗、不須啜粥、餘如桂枝法將息。【補】覆取微似汗以下、後人所杜撰、辨見上、

大陽與陽明合病、是擧大陽病發病大表裏證之熱不太暴急、而純大陽證、波及陽明者也、大陽者、謂頭痛發熱惡風惡寒者也、陽明者、謂腹中不和、或腹微滿、或不大便也、前麻黄湯本證、頭痛發熱惡風、而身疼腰痛、骨節疼疼而喘者、是其證太暴急也、此章頭痛發熱惡風、是不太暴急者也、然則似有劇易、然而此章、更加腹中不和、或腹微滿、或不大便、又加胸滿、而喘者、是其

熱深而見此、裏證也、雖似其證有劇易、而其實地位是同也、既已同其病所在之地位、見其證者、雖云不同而處其方是同也、故此編於經藥必擧二章、使學者審識其病之地位、與其藥方之地位、以活用其方法也、**喘而胸滿者、**是於法、爲熱盛於內而上攻、故胸滿而喘也、然不云胸滿而喘者、胸滿非麻黃湯之本證、而喘爲主證、故云喘而胸滿也、**不可下、**以別大陽與陽明合病、葛根湯之證、其變例有可下之法也、又別大陽與陽明合病、陽明爲主、而波及大陽者、其正例可下而治之也、**宜麻黃湯、**宜者、據法而用之辭也、權宜爲之也、是大陽陽明合病、喘而胸滿者、既已在大陽病發病之時、故雖有陽明胸滿之證、於法、當先用麻黃湯、以發其汗也、既已用麻黃湯、以發其汗、仍有大陽陽明胸滿之證者、各隨其證、以施其方、故云宜麻黃湯、以明權宜用之之治法也、後凡云宜者、皆此治例也、言頭痛發熱惡風、腹中不和胸滿而喘者、此爲大陽與陽明合病、而大陽純證、波及陽明、其熱使然者、宜麻黃湯、又頭痛發熱惡寒、腹微滿、或不大便、胸滿而喘者、是亦爲大陽與陽明合病、宜麻黃湯也、既已與麻黃湯、仍頭痛發熱、惡風惡寒、腹中不和、或腹微滿、或不大便、胸滿而喘、非復大陽病麻黃湯之證、是陽明爲主病、而波及大陽者也、承氣湯主之、若頭痛發熱惡寒、腹中不和、或腹微滿、胸滿而喘者、已與麻黃湯不解、又加脇痛者、小柴胡湯主之也、

葛根湯大陽陽明合病之證、與麻黃湯大陽明合病之證、其辨何似、答曰、大陽病表證、如桂枝之證、而腹中不和、或腹微滿者、是大陽陽明合病、葛根湯之證也、大陽病表證、比桂枝之證、更加其劇、腹中不和、腹微滿、或不大便、又加胸滿、此麻黃湯大陽陽明合病之證也、故大陽病表證如桂枝之證、腹中不和、腹微滿而喘者、是非麻黃湯證、此爲葛根湯證、而更加喘者、法當先與葛根湯、以發其汗、而後與葛根黃芩黃連湯、以治其喘也、若與葛根湯不汗、汗出而喘者、此雖無胸滿之證、亦麻黃湯

之所主也若大陽中風則其治法異於此其表證如桂枝之證而加其喘者非復葛根湯證是麻黃湯之所主也是疑證之所別而處方之所異也不可不察矣

大陽病十日以去

以去猶云以往荏苒緩延之辭也是擧大陽病其初如桂枝或葛根之證勢不暴急荏苒緩延而不解而及麻黃湯者而包傷寒中風也又以此大陽病十日以去照上大陽病三日發汗以擧其病證所解之遲速以明麻黃湯證淺深之地也因使人審識桂枝葛根之證淺深之地也又以此大陽病十日以去照下傷寒五六日中風往來寒熱以擧其證入裏遲速以明傷寒中風大陽病變候之前後也大抵大陽病桂枝葛根之證荏苒緩延而不解以及十日以上者雖不見麻黃證亦是當與麻黃湯也中風桂枝之證荏苒緩延以及十日以上者雖不見麻黃證亦是當與麻黃湯也大陽病中風桂枝之證其解期三日者以大表證故也葛根湯期五六

日者、以間證故也、麻黃湯期十日者、以其證深劇故也、故大陽病中風、其發病起於桂枝葛根之證荏苒緩延、而不解者、以及十日以上、始見其變候小柴胡之證也、若其發病起於麻黃湯之證者、七八九日之間、始見其變候小柴胡之證、獨在傷寒則以其發病起於麻黃湯之證爲最易證、蓋傷寒發病、無有易淺於麻黃湯證者、乃傷寒發病起於麻黃湯之證者、五六日已見其變候小柴胡證也、故小柴胡湯章、云傷寒五六日、中風者、以照此章大陽病十日以去、及上大陽病三日發汗、以明大陽病中風傷寒病證之淺深變候之前後、使人思而得之審、而識之也、**脈浮細**非陰脈微細之義也、凡表邪之脈、必浮而有方幅者也、今表邪將解、而其浮脈去方幅、故云浮細也、**而嗜臥者**、是非病證、其表邪已解、始見其勞者也、**外已解也**、雖如表證猶在、而其脈浮細、而嗜臥者、此外已解之效也、**設胸滿脇痛者、與小柴胡湯**、凡云與者、

先與此湯、以觀其動靜之辭也、言其脉浮細而去其方幅、胸滿脇痛而嗜臥者、此外已解、而裏未解也、當與小柴胡湯、以觀其動靜也、

脉但浮者、與麻黃湯、

言、大陽病桂枝及葛根湯之證、既發其汗、荏苒緩延、而不解、以及十日以上、其脉浮而有方幅者、今乃浮細而去其方幅、又嗜臥者、是以其勞故也、雖似外證有未解者、此外證已解者也、不須與湯藥、若其脉仍浮而有方幅者、是外證未解者也、雖似桂枝葛根證、而非復桂枝葛根證、是其證已深者、當與麻黃湯、以觀其動靜也、若更加胸滿脇痛者、小柴胡湯主之、以與麻黃湯之後故也、若大陽病桂枝及葛根湯證、既發其汗、荏苒緩延、而不解、以及十日以上、其脉浮細而去其方幅、胸滿脇痛而嗜臥者、是其外已解、而裏未解也、當與小柴胡湯、以觀其動靜也、其脉但浮、而仍有方幅、胸滿脇痛、而未嗜臥者、是外未解者也、麻黃湯主之、若大陽中風、桂枝之證、既發其汗、荏苒緩延、而不解、以及十日以上、其脉浮細

而去其方愊又嗜臥者是外證已解者也不須與湯藥若其脈仍浮而有方愊者雖似桂枝證而非復桂枝證是其熱已深者也當與麻黄湯以觀其動靜也若更加胸滿脇痛者小柴胡湯主之亦以與麻黄湯之後故也若大陽病中風桂枝證既發其汗荏苒緩延而不解以及十日以上其脈浮細而去其方愊胸滿脇痛而嗜臥者當與小柴胡以觀其動靜也若其脈但浮有方愊胸滿脇痛而未嗜臥者麻黄湯主之也若中風發病麻黄湯之證既發其汗七八日不解胸滿脇痛者亦小柴胡湯主之也若傷寒發病麻黄湯之證既發其汗五六日不解胸滿脇痛者亦小柴胡湯主之也

傷寒總目章發熱惡寒體痛嘔逆脈陰陽俱緊者何以不列之於麻黄湯條下答曰此慎重傷寒之治法之至也是作者苦心之所最深也學者不可不察焉夫傷寒其證慹悍者也一誤其治則或引大災若不慎重其治法則遺人以禍也何也曰發熱惡寒體痛嘔逆其證純陽而無疑是麻黄湯之證

也。其脈陰陽俱緊者，非復麻黃湯之地位，是大青龍湯之地位也。若其證皆純陽無疑，則捨脈而取證，與麻黃湯也。若其證皆純陽，而就其中頗見似陰證而非陰證，其證熱悍者，則捨證而取脈，與大青龍湯也。若其證皆純陽無疑，其脈浮緊者，與麻黃湯，而不汗出者，亦與大青龍湯也。凡傷寒發病見此證者，當心識眼識其脈與證，以處其方。此脈證之不可先傳者也。若不可先傳而先傳之，則是遺人以禍毒也。故此編專明麻黃、大青龍湯之地位，而不列傷寒之正證，欲使學者悟得之也。慎重傷寒治法之至也。

右三章，始一章，明麻黃湯大表裏證，其熱暴急者也。第二章，明麻黃湯大表裏證，其證不暴急者也。第三章，明太陽病茬苒緩延，而及麻黃湯之地位者也。凡麻黃湯證，專主其熱者也，與桂枝、葛根主其不和者，其法不同也。

大陽中風、脈浮緊、是舉中風表熱入裏、而伏其熱、表裏俱盛、而純陽證者、以明傷寒發病必審詳其陰陽、而後當處其治也、凡中風雖復劇者、無有帶陰證者、故中風劇熱者、無有出於麻黃湯之證、而及大青龍湯者、若先與麻黃湯已發其汗、以其伏熱盛之故、不使汗出而致煩躁者、始及大青龍湯也、故此章不舉傷寒發病而舉中風與麻黃湯之後證者、欲明大青龍湯所主之地位、猶在純陽證故也、又明中風無帶陰證者也、又明傷寒雖在發病、以其證熱悍而深之故、必有伏熱、必有伏熱之故、有似帶陰證、而却是純陽證者、又有似純陽證而帶陰證、必審識其陰陽證、而後當處其方也、故云不汗出煩躁者、先與麻黃湯發其汗、以其伏熱盛、而不使汗出之故、致此煩躁也、其脈浮緊者、是大青龍湯之本脈、其地位處陰陽兩證之交者也、**發熱惡寒、**其證深也、**身疼痛、**又其證深也、**不汗出而煩躁者、**先與麻黃湯已發其汗、以其伏熱盛之故，不使汗出而煩躁者也。凡煩躁者，在中風傷寒，則有伏熱與水氣與虛寒之別，不審識此三道者，以處其方，則致大逆也。此傷寒發病之治法，不可不慎重也。大青龍湯主之

證有純陽水氣之別方有麻黃大小青龍之別

大青龍湯是純陽伏熱之主方，而傷寒發病之變，不可先傳也。故先舉中風劇證之變，以正大青龍湯所主之地位，後舉脈微弱汗出惡風，厥逆筋惕肉瞤之諸證，使學者明傷寒發病大青龍湯之證，以審識其變候也。既明中風劇熱無出麻黃湯之證，而其變候始及大青龍湯，而終則是中風無有帶陰證者也。而其云脈微弱，汗出惡風，厥逆筋惕肉瞤者，以明若見此諸證，則其發病雖如中風，而非復中風，是為傷寒也。又明中風變候之終，與傷寒發病之候同，而傷寒或帶陰證也。凡大青龍湯之地位，中風傷寒發病之別，若其中風，則其發病之時，其脈浮緊，發熱惡寒，無汗而身疼痛者，此中風麻黃湯之證也。已與麻黃湯，以其伏熱盛之故，不

使汗出而致煩躁者、是純陽表證而伏熱者、大青龍湯主之者也、若與麻黃湯後、脈浮緊變爲微弱、發熱惡風、身疼痛、汗出而煩躁者、是其發病、雖似中風、非復中風、是傷寒以其證熱悍之故、見此證也、此傷寒帶陰之證也、若其傷寒、則其發病之時、必先深摯惡寒、其脈浮緊、發熱身疼痛無汗煩躁者、是傷寒純陽證也、又其發病、脈浮緊、惡寒發熱身疼痛汗出煩躁者、亦是傷寒純陽證也、但其證熱悍之故、雖有伏熱、而猶汗出煩躁也、此四道者中風傷寒在大青龍湯之地位發病之別也、若

脈微弱、汗出惡風者、不可服、證有陰陽表裏之別、方有眞武白虎茯苓四逆之別、此欲明大青龍湯白虎湯地位之別、又欲明小青龍湯眞武湯地位之別、又欲明茯苓四逆湯地位之別也、凡外主大表盛熱、而內有伏熱發之、則有餘毒、其證無太甚根據者、是大青龍湯之地位也、若主內有熱結、而外及表熱、發之而不可發、其證有根據者、此白虎湯之地位也、是大青

龍湯主表熱而及其伏熱者也白虎湯主裏熱而及其表熱者也若論其地位則白虎湯深於大青龍湯之地位一等也是二湯之別也若主表證而有水氣及其水氣爲熱候者此小青龍湯之證也若主水氣而及表證及其水氣爲寒候者此眞武湯之證也要之小青龍湯主熱候而見水氣證者也眞武湯主水氣證而見寒候者也若論其地位則眞武湯深於小青龍湯之地位一等也總此四湯之地位大小青龍湯其地位皆在純陽證而白虎湯陰陽兩證之交也眞武湯既帶陰證者也而茯苓四逆湯全於陰證而有水氣者也何以知之上云脈浮緊煩躁中云汗出惡風相照以明大青龍白虎湯地位之別也上云煩躁中云脈微弱其中包脈沈緊下云筋惕肉瞤而倂論大小青龍湯是相照以明小青龍眞武湯地位之別也又上云煩躁中云脈微弱下云厥逆是相照以明茯苓四逆湯之別也而白虎湯之證在陰陽兩證之交猶爲陽證故係之於上之純陽證也眞武四逆皆爲

陰證故係之於下之陰證也

服之則厥逆筋惕肉瞤此爲逆也

證有厥陰水氣之別方有眞武當歸四逆之別

此欲明純陽表證之治法也又欲明陰陽兩證之治法也又欲明陰證之治法也凡純陽表熱之證務在去其熱也其意謂純陽表熱之證苟去其熱則其人全然復其故純陽表熱之治法復無他事但去其邪熱耳若其陽證之熱處陰陽兩證之交者發之而不可發也發之則或引陰證故其熱處陰陽兩證之交者其治法以和其熱爲主也若其陰證之帶熱者務在挽回其虛寒故假有陰陽兩證者先治其陰證而後始治其陽證是陰證之治法也若其陽證而有表裏之證則先治其表熱而後治其裏證是陽證而有表裏證者之治法也此四者爲順治故曰服之則厥逆筋惕肉瞤此爲逆也其云厥逆者此明是爲當歸四逆湯之證也傷寒脈浮緊汗出惡風煩躁其表熱微者是白虎湯之證也發之則必引陰證必入厥陰故云厥逆以明

為當歸四逆湯之證也若其脈微弱發熱惡風汗出煩躁者或致厥逆是茯苓四逆湯之證也其云筋惕肉瞤者是明眞武湯之證也傷寒脈沈緊發熱惡風汗出煩躁者是眞武湯之證也發之則致其暴劇而筋惕肉瞤也是皆欲使學者愼重傷寒發病之候而審識其治之順逆也言凡大青龍湯伏熱之證其候或疑於水氣之證或疑其證在陰陽兩證之交者也或疑於陰證也然此大青龍湯之證是純陽表熱而有伏熱者當審辨四道之別以處其方也大陽中風發病脈浮緊發熱惡寒身疼痛無汗者此無疑於純陽證麻黄湯主之若與麻黄湯不汗出而煩躁者是純陽證而有伏熱故致此煩躁大青龍湯主之也若其傷寒脈浮緊發熱惡寒身疼痛無汗而無復餘證是純陽傷寒也麻黄湯主之若不汗出而煩躁仍無餘證者是純陽證而有伏熱者大青龍湯主之若傷寒發病脈浮緊發熱惡寒身疼痛無汗煩躁者是純陽傷寒正證而有伏熱者大青龍湯主之然傷寒其證熱

悍、其變候不可先傳者也、必須審識其證、若其發病、脈浮緊、惡寒發熱、身疼痛、汗出煩躁、無復餘證、是猶爲純陽傷寒而有伏熱者、但以其證熱悍之故、使汗出耳、是亦大青龍湯主之也、若其發病脈浮緊、惡寒發熱、身疼痛、無汗煩躁、而見心下水氣之一證者、是爲純陽傷寒而有水氣證、小青龍湯主之、若其發病、脈浮緊、惡寒發熱、身疼痛、汗出煩躁、而見心下水氣之一證、無復餘證、是復爲純陽傷寒而有水氣證、亦小青龍湯主之也、亦以傷寒其證熱悍之故、使汗出耳、其候以表熱暴盛爲法也、故曰證有純陽水氣之別、方有麻黃大小青龍之別、此之謂也、傷寒脈浮緊、發熱惡風、身疼痛、汗出煩躁、其表證已微、或手足厥冷者、是非大青龍湯之表證伏熱、是其證爲在陰陽之交、白虎湯主之、若脈沈微、發熱惡風、身疼痛、汗出煩躁、頭眩者、雖云表證不解、而或見水氣之一證者、眞武湯主之、若脈微弱、發熱惡風、身疼痛、汗出煩躁者、是爲陰證、茯苓四逆湯主之、故曰、證有陰陽水氣之別、方有白虎眞武茯苓四逆之別，此之謂也。傷寒脈浮緊，發熱惡風，身疼痛，汗出煩躁者，其表證已微，反與大青龍湯，而手足厥寒，脈微欲絶者，此爲厥陰證，當歸四逆湯主之。若脈沈微，發熱惡寒，身疼痛，汗出煩躁，頭眩者，反與大青龍湯，而筋惕肉瞤者，此爲有水氣，眞武湯主之。故曰，證有厥陰水氣之別，方有當歸四逆眞武之別，此之謂也。

大青龍湯方

麻黄六兩　桂枝二兩　甘草二兩　杏人四十筒

生薑三兩　大棗十二枚　石膏如雞子大

右七味，以水九升，先煮麻黄減二升，去上沫，内諸藥，煮取三升，去滓，溫服一升，取微似汗，汗出多者温粉撲之、一服汗者停後服、汗多亡陽遂虛、惡風煩躁不得眠也。

補 右取微似汗以下、後人所杜撰也、大青龍湯證、既有伏熱、則非汗出多、即不能解、又何恐、而云汗出多者、温粉撲之、汗多亡陽遂虛、惡風煩躁不得眠也者、不知本編之義也、夫本編所以云脈微弱汗出惡風者不可服、服之則厥逆筋惕肉瞤、此爲逆也者、謂若誤認陰證、以爲陽證、而與大青龍湯、則致此逆也、是所以分別陰陽二證之治法、而建規則、而非謂大青龍湯之本證服大青龍湯、而汗出多則致此逆也、而後人不知此義、漫添蛇足也、且本編舉本方服後之變證者、皆有所應照于前後、而論其委曲者也、未曾有突然舉之於方後如斯者也、

傷寒脈浮緩、是云脈浮緩者、明其表證不劇、且是純陽證也、此始舉傷寒發病、而舉表

證不劇、反有伏熱疑證者、以明此本章及麻黃湯傷寒、審識是純陽證、則斷然發之、若少見疑於陰證、則慎重其治、勿致誤逆也、又本章舉大青龍湯表證劇者、而此章舉大青龍湯表證不劇者、相照以明純陽伏熱之變候、雖有劇易、而其地位是同、使人知其治法也、又本章中風表證劇者、先與麻黃湯而後始及大青龍湯、此章舉傷寒表證不劇者、初即與大青龍湯、又本章舉無陰證疑途者、而此章又舉有陰證疑途者、以明中風入大青龍湯之地位者、十而有其一、而傷寒發病起於大青龍湯地位者、十而有其九也、又以明傷寒發病、起於大青龍湯地位者、其帶陰證者、十而有其五六也、又本章舉表證劇而煩躁者、而此章舉表證不劇而身重者、以明脈浮緊發熱表證太劇而煩躁者、及脈浮緩表證不劇而身重者、及脈浮緊表證不劇而煩躁者、皆是大青龍湯之所主、而使人審識其地位、以處其方也、

身不疼、但重、乍有輕時、此明其證有五途之疑似者也、

一則卽大青龍湯伏熱之候也、二則白虎湯熱結之疑途也、三則小青龍湯心下有水氣之疑途也、四則眞武湯陰證水氣之疑途也、五則附子湯、及麻黄附子細辛湯、及麻黄甘草附子湯、少陰病之疑途也、

無少陰證者大青龍湯發之、

云發之者、用權宜之法、以觀其後證之辭也、言中風則脈浮緊、發熱惡寒、先與麻黄湯、不汗出、而後煩躁者、雖是似傷寒、猶大青龍湯攻之、而不疑、故云主之也、凡云主之者、皆攻之不疑之辭也、傷寒則發病脈浮緩發熱惡寒、身不疼、但重乍有輕時、而無少陰證者、雖是似中風、猶用權宜之法、以觀其後證、故曰發之也、若有少陰證者、愼重其治法、勿致誤逆也、此明傷寒陰陽兩證之治法者也、凡少陰證、其變多端、不可先傳者也、然其證皆以虛寒爲本證者也、虛者、所謂虛奪之證也、寒者、其裏氣虛奪、而不能攝其外者也、此求少陰證之本要也、請擧其一二、以擬其變、使學者意悟之、凡少陰證、但欲寐、背惡寒、口中和、或手

足寒身疼痛或下利咽痛心煩或下利便膿血或清穀下利或脈沈身疼痛或脈微手足厥冷或脈微下利或脈微細汗出背惡寒此其大梗也言傷寒發病脈浮緩惡寒發熱其表不劇而身不疼但重乍有輕時此純陽伏熱證也大青龍湯發之則愈也若脈浮緩惡寒發熱其表不劇而身不疼但重乍有輕時而見心下水氣之一證者此小青龍湯之所主也若脈浮緩惡寒發熱其表不劇身不疼但重乍有輕時而見陰證水氣之一候者是眞武湯之所主也若脈浮緩身不疼但重乍有輕時而心煩手足微見厥證者此內有熱結是白虎湯所主也若脈浮緩發熱惡寒其表不劇身不疼但重乍有輕時而背惡寒手足寒此爲有少陰證附子湯主之也若脈微弱發熱身不疼但重乍有輕時此爲少陰證麻黃附子細辛湯主之也若脈沈身不疼但重乍有輕時者亦爲少陰證麻黃附子甘草湯

主之也

傷寒表不解、是擧傷寒表熱大盛、而由其內有水氣根據者也、是與大青龍湯之證相疑者、而大青龍湯、其表熱大盛、而其內有水也、小青龍湯、其表熱大盛、而其內有伏熱者也、此二湯之辨也、云傷寒表不解者、以明傷寒發熱惡寒、身疼痛、無汗煩躁、與大青龍湯、不解、而見心下有水氣之一證者、及身不疼但重乍有輕時與大青龍湯、不解、而見心下有水氣之一證者也、

心下有水氣、是法語也、凡此編中云水氣者、皆謂但見水狀而不成水形者也、乾嘔發熱咳、是心下有水氣之狀也、何謂水形、皮水黃汗浮腫之類是也、

乾嘔發熱而咳、是明二義也、一則明傷寒發熱惡寒表不解、心下有水氣、乾嘔而咳者、是水氣表證之劇者也、一則明水氣無他表證、乾嘔而咳、但見發熱之候者也、是心下有水氣之證、不必發熱與否、但以見熱候爲主也、故不云發熱乾嘔而咳、而云乾嘔發熱而咳也、言此水氣之爲熱者、不必發熱之劇易、而但

見熱候為主也云而咳以別乾嘔發熱者或渴或以明心下有水氣之證以咳為主證也

利或噎或小便不利少腹滿或喘者小青龍湯主之

既以咳為主證而又舉五或者以言心下有水氣之證或不咳而渴或不咳而喘或咳而喘其變多端不可先傳也要在見其一證認識其地位本證以處其治方此學者當潛心而求者也若能潛心而求之則小青龍湯之用多多益辦此作者舉五或之本志也凡心下有水氣之證或有其表熱大盛或有其表熱微者或有其熱發作有時或有內見熱候者此四證者雖異而其為候則一也又乾嘔噎喘咳渴五者心下有水氣為熱之候也水氣為熱而見此一證者小青龍湯之正候也小便不利少腹滿及下利二者水氣成寒之候也水氣已成寒者有下部之證而見熱候者是小青龍湯之地位也夫小青龍湯水氣之證其變不可勝數故學者必審其地位與其正候然後可以應其

變、以處其方也、今略擧其正變以示其概、或有其表證大劇、發熱惡寒、乾嘔而咳者、又有乾嘔發熱而咳者、又有乾嘔發熱而渴者、又有乾嘔發熱而喘者、又有乾嘔發熱而下利者、又有乾嘔發熱而小便不利少腹滿者、又有噎發熱而渴者、又有噎發熱而下利者、又有噎發熱而小便不利少腹滿者、又有喘發熱而下利者、又有喘發熱而小便不利少腹滿者、至其變候、則或有發熱惡寒身疼痛無汗煩躁、而見心下水氣之一證者、又有身重乍有輕時、而見心下水氣之一證者、又有吐涎沫而見心下水氣之一證者、此正變十四證者、皆小青龍湯之所主、而心下有水氣者之大梗也、

小青龍湯眞武湯、俱爲水氣證、則其辦安在、曰水氣之證、但見水狀、而不成水形者、此則眞武湯小青龍湯俱同也、其所異者、小青龍湯之證、水氣久久成寒、以發熱候、是陽證水氣之深者也、其病在心下及下部者也、眞武湯之證、亦是水氣久久成虛寒、而非發熱候者、是陰證之水氣也、其病不主

一所而上搏者也此二湯水氣之別也

又曰凡咳有二類曰何謂曰其一則小柴胡湯之咳也其一則猪苓小青龍眞武湯之咳也小柴胡湯之咳者表熱入裏而上攻心下以致其咳者也此爲熱咳也其猪苓小青龍眞武湯之咳者此爲水咳也而此水咳亦別爲二途也猪苓小青龍湯之咳是熱與水之所致也眞武湯之咳單水之所致也而猪苓湯之咳表熱入陽明上攻心下以吸結其水而致此咳者也故猪苓湯之水是一且所吸結也非久久之水氣也小青龍湯之咳久久之水氣成寒以發熱候而上攻心下以致此咳也眞武湯之咳亦是久久之水氣成寒而虛逆以致此咳者也此咳之二類四湯之別也

又曰凡渴有三類曰何辨也曰一則五苓猪苓之渴也二則小青龍茵陳蒿湯之渴也三則小柴胡白虎湯之渴也曰五苓猪苓之渴俱是表熱一且吸結其水故致此渴也非是久久之畜水故其治

法以利水為肝要也然五苓則淺猪苓則深五苓表熱在大表之間地而内攻者也猪苓表熱入陽明而上攻者也此二湯之別也曰茵陳蒿小青龍之渴其證不同也茵陳蒿之證是瘀毒之為熱也小青龍之證是久水成寒者之為熱也茵陳蒿其證在下但為熱而不成寒是純陽裏證也小青龍其證在心下及下部既已成寒而為熱者是猶純陽證而疑有陰證者也此二湯皆久久之證而非一旦之病也凡五苓猪苓小青龍湯證雖異而俱是一類也茵陳蒿同物而異類也要之四湯者於法為水與熱相搏也凡水與熱相搏上攻心下者必見渴證也曰小柴胡白虎湯之渴此為熱渴也小柴胡湯之渴其熱在半表半裏而上攻心下者也故手足温而渴者小柴胡之證也白虎湯之渴其證在陰陽之交而熱結心中者也故手足冷或背微惡寒而渴者是白虎湯之渴也此渴者三類之辨也

小青龍湯方

麻黃三兩　芍藥三兩　乾薑三兩　五味子半升
甘草三兩　桂枝三兩　半夏半升　細辛三兩

右八味、以水一斗、先煮麻黃減二升、去上沫、内諸藥、煮取三升、去滓、溫服一升、加減法、若微利者、去麻黃、加蕘花如雞子大、若渴者、去半夏、加括蔞根三兩、若噎者、去麻黃、加附子一枚、若小便不利少腹滿、去麻黃、加茯苓四兩、若喘者、去麻黃、加杏人半升、補凡本編方劑之例、一方主治衆證者、皆以或舉之、其見證雖異也、其本則同故也、如小柴胡湯眞武湯通脈四逆湯等皆然、若有變證、而本方不足治之、則方名既以加去稱之、諸方之例、可以見也、未曾有於方後加減者也、而今就本文五或設加減者、非啻不知本編之例、亦不知方劑之主證者也、

傷寒心下有水氣、咳而微喘、發熱不渴、是舉傷寒心下有水氣者、見其熱與渴、以定其證之淺深也、上章云發熱而咳、或渴者、是不主渴者也、此證云發熱不渴、服湯已渴者、是主渴者也、故上章云傷寒表不解而咳者、此惡寒發熱皆盛、而不渴但咳者、是爲心下水氣成寒之最深劇者、故但咳而不渴也、此章傷寒心下有水氣、咳而微喘、發熱不渴者、此惡寒多、發熱少、咳而微喘不渴者、是爲心下水氣成寒之深者、但咳而不渴也、**服湯已渴者、**上章云心下有水氣、乾嘔發熱而咳、或渴者、是不主渴、而其發熱又微者也、此心下水氣成寒之頗

深者也此章云心下有水氣咳而微喘發熱服湯已渴者是主渴之言而其發熱又盛者也此爲心下水氣成寒之頗淺者也約上數證則知心下有水氣咳而喘者其發熱多而又渴者是心下水氣成寒之反淺者也惡寒多發熱少而不渴者此心下水氣成寒之深者也故惡寒發熱皆盛而咳又不渴者是心下水氣成寒之深者而爲其變候也

此寒去欲解也小青龍湯主之

是明水氣成寒之深者惡寒多發熱少也又以明水氣成寒之淺者發熱多而又渴也言傷寒惡寒發熱皆盛心下有水氣咳而不渴者此水氣成寒之最深劇者也小青龍湯主之又傷寒惡寒多發熱少咳而微喘不渴者此水氣成寒之深者小青龍湯主之又心下有水氣其發熱已微而不渴者此水氣成寒之頗深者小青龍湯主之又心下有水氣咳而微喘其發熱已盛而不渴者是水氣成寒之頗深劇者小青龍湯主之又心下有水氣咳而微喘發熱而渴者此水氣成寒

之反淺易者、亦小
青龍湯主之也、
以上四章、始一章、明大青龍湯表熱太劇、而
裏有伏熱者也、第二章、明大青龍湯表證頗
緩、而裏有伏熱者也、第三章、明小青龍湯表
熱大劇、而裏有水氣成寒者也、第四章、明小
青龍湯表證頗緩、而裏有水氣成寒者也、右
此四章、其地位則同、而其證則大異也、大青
龍湯二章、主表熱伏內、而類陰證者也、小青
龍湯二章、主內有水氣成寒、而發表熱、又類
陰證者也、此
四章之別也、
右十一章、分為三節、以明大陽病中風傷寒
發病之候也、始四章為一節、中三章為一節、
終四章為一節、其始四章之內、前三章、明大
陽病葛根湯發病之地位、其後一章、變其通
例、插入大陽病誤治之後證、以結前三章之
地位、而別下三章之地位也、中三章之內、前

二章明大陽病麻黄湯盛熱發病之地位後
一章亦變其通例挿入大陽病歴日之後終
歸麻黄湯者以結前二章之地位而別下四
章之地位也終四章之內前二章明中風傷
寒大青龍湯伏熱之地位後二章明傷寒小
青龍湯水氣之證之地位也此四章者將使
學者審別傷寒發病及中風之成候故始一
章明中風一變之後證第二章明傷寒發病
之變證第三章明傷寒一變之後證第四章
明傷寒中風成候也此欲使學者以傷寒之
發病比中風之發病以傷寒一變之後證比
中風一變之後證以傷寒中風之成候却比
其發病及一變之後證以審識傷寒之本證
而無誤於中風也右此十一章三節者其地
位之別一等深於一等故其中一節之地位
深於始一節之地位一等其終一節之地位
深於中一節之地位一
等此次序地位之別也

大陽病外證未解、是擧大陽病發病四五日、不施其治、而表證未解者、以包中風也、脈浮弱者、謂不與微弱者同也、其脈浮緩而不數緊也、當以汗解、言此雖歷日已久、以其脈浮弱之故、爲其證未深、法當以汗解也、宜桂枝湯、宜者權時之辭也、以觀其後證之法也、言得病而歷日已久、則於理其證當深、故先與桂枝湯、以觀其後證也、既與桂枝湯微汗出、而發煩致衂者、此陽氣滋重、不能發其熱故也、與桂枝湯不須疑者也、若與桂枝湯、汗不出者、大陽病則桂枝加葛根湯及葛根湯各隨其證與之、中風則以麻黃湯與之也、若大陽病發病四五日、不施其治、外證未解、脈浮弱而微喘者、桂枝加厚朴杏人湯主之也、

大陽病下之、是擧大陽病發病之時、未解其表證、而先下之者也、微喘者、表未解故也、言大陽病桂枝證、其發病之時、不解其表證、而先下之、以致微喘者、此非裏證、

以其表證未解而下之故表證因此內攻以致此喘者也此本桂枝證故知其喘是表證之所爲也其葛根湯以下則於法爲有下之而解者然是非正法也云下之表未解而云未者容有下之而解者之言也

桂枝加厚朴杏仁湯主之

言大陽病桂枝證其發病之時不解其表證而先下之利遂不止脈促者此利非裏證即表證之所爲也與桂枝湯則愈若與桂枝湯不愈者桂枝加葛根湯主之若大陽病桂枝證其發病之時不解其表證而先下之以致微喘其脈浮弱者此亦非裏證以其表證未解而下之故表熱因此內攻以致此微喘也桂枝加厚朴杏仁湯主之若大陽病桂枝證若葛根證其發病之時不解其表證而先下之利遂不止脈促喘而汗出者表證已解也葛根黃芩黃連湯主之也

桂枝加厚朴杏仁湯方

桂枝湯方中更加厚朴二兩杏仁五箇水煎與本方同法

大陽病、外證未解者不可下也、下之爲逆也、欲解外者、宜桂枝湯主之、

補大陽表證、除陽明胃實之外、皆謂之外證也、故傷寒十三日不解章云先宜小柴胡湯以解外者、可以見焉、而此章云外證未解、及欲解外者、宜桂枝湯主之、而不舉其脈證、則外證廣博、何以徵其宜桂枝湯乎、可謂粗鹵矣、故本編云大陽病外證未解、脈浮弱者、當以汗解、宜桂枝湯者、謂外證未解者、雖其證多也、但脈浮弱者當以汗解、桂枝湯主之也、

大陽病、先發汗不解、而復下之、脈浮者不愈、浮

爲在外、而反下之、故令不愈、今脈浮、故知在外、當須解外則愈、宜桂枝湯。【補】浮脈爲在外者固也、然浮脈之候亦多焉、不舉證而論之、則不可爲桂枝湯之所主也、

大陽病、脈浮緊、無汗、發熱、身疼痛、此舉大陽病發病誤治表證遂不解者也、此其發病麻黄湯之證也、然醫或與桂枝湯、或與葛根湯、其汗不出、八九日不解、表證仍在、是爲誤治也、八九日不解、表證仍在、此當發其汗、此不須有所疑之言也、此其表證爲麻黄湯之證、則雖歷八九日、猶與麻黄湯、以發其汗、而不須有所疑也、大陽病中風桂枝證、及葛根證、又亦皆然、各與其方、不須有所疑也、服藥已微除、以明其熱欲發、而未能發也、其人發煩目瞑、以明此證陽氣滋重、其熱怫鬱、不能發之、

使之發煩目瞑、仍與麻黃湯、不須有所疑也、大陽病中風桂枝證、及葛根證、又亦皆然、各與其方不須有所疑也、

劇者必衂、衂乃解、

以明此陽氣澁重、其熱怫鬱、不能發之、故使之致衂也、若衂者陽氣發越、故衂乃解、麻黃湯主之也、大陽病中風桂枝證、及葛根證、又亦皆然、各與其方、不須有所疑也、

所以然者、陽氣重故也、麻黃湯主之、

言服藥已微除、及發煩目瞑、及致衂血者、致此三道之證者、此無他故、以其陽氣澁重、故使之其熱怫鬱、不能發越也、若衂者、陽氣發越則解、是不須有所疑也、言大陽病中風桂枝證、其發病之時、不施其治、四五日表證未解、脈弱者、於法當發其汗、猶是桂枝湯主之、服藥已微汗出、其人反更發煩者、猶是爲前證、但其陽氣澁重、其熱怫鬱、不能發越、故使之然、仍與桂枝湯、不須有所疑也、若其劇者必衂、衂乃解、以陽氣發越故也、仍與桂枝湯、不須有所疑也、若大陽病葛根證、其發病之時、脈浮緩、無

葛根湯之證重複

汗發熱惡風者醫誤其治或與桂枝湯其汗不出
五六日不解表證仍在此於法當發其汗猶是葛
根湯主之服藥已微汗出其人反更發煩目瞑者
猶是爲前證但其陽氣澁重其熱怫鬱不能發越
故使之然仍與葛根湯不須有所疑也若其劇者
必衄衄乃解以陽氣發越故也仍與葛根湯不須
有所疑也若太陽病葛根證其發病之時脈浮緩
無汗發熱惡風者醫誤其治或與桂枝湯其汗不
出五六日不解表證仍在此於法當發其汗猶是
葛根湯主之服藥已微汗出其人反更發煩目瞑
者猶是爲前證但其陽氣澁重其熱怫鬱不能發
越故使之然仍與葛根湯不須有所疑也若其劇
者必衄衄乃解亦以陽氣發越之故也仍與葛根
湯不須有所疑也若太陽病麻黄證其發病之時
脈浮緊無汗發熱身疼痛者醫誤其治或與桂枝
湯或與葛根湯其汗不出八九日不解其證仍在
此於法當發其汗猶是麻黄湯主之服藥已微除
其人反更發煩目瞑者猶是爲前證但其陽氣澁

重其熱怫鬱不能發越故使之然仍與麻黃湯不須有所疑也若其劇者又亦必衄衄乃解又亦以陽氣發越之故也仍與麻黃湯不須有所疑也

大陽病脈浮緊發熱身無汗自衄者愈

【補】前章麻黃湯證其人陽氣澀重故不汗出而致衄解者以藥力發之也然衄不如汗未全解故仍以麻黃湯發之也而此章云自衄者愈者不知前章之義也

二陽併病大陽初得病時發其汗汗先出不徹因轉屬陽明續自微汗出不惡寒若大陽病證不罷者不可下下之爲逆如此可小發汗設面色緣緣正赤者陽氣怫鬱在表當解之熏之若

發汗不徹不足言陽氣怫鬱不得越當汗不汗其人躁煩不知痛處乍在腹中乍在四支按之不可得其人短氣但坐以汗出不徹故也更發汗則愈何以知汗出不徹以脈濇故知也【補】此章議論混淆不足取

脈浮數者法當汗出而愈若下之身重心悸者不可發汗當自汗出乃解所以然者尺中脈微此裏虛須表裏實津液自和便自汗出愈【補】此章從本編之例則當云太陽病發熱惡寒脈浮數者法當發汗也何則汗出即自汗出也與發汗不

同、又當發汗而反下之、身重心悸者、是誤下而致變證也、亦安有不藥而表裏實、津液自和、便自汗出愈者乎、妄言已、

脈浮緊者、法當身疼痛、宜以汗解之、假令尺中遲者、不可發汗、何以知之然、以榮氣不足血少故也、補此章、云不可發汗、而不舉治法、爲徒論也、且以三部論脈、及云榮氣不足血少者、本編之所無也、

脈浮者、病在表、可發汗、宜麻黃湯、

脈浮而數者、可發汗、宜麻黃湯、補右二章、脈浮者、脈浮而數者、其證多矣、何以徵宜麻黃湯乎、

病常自汗出者此爲榮氣和榮氣和者外不諧以衛氣不共榮氣和諧故爾以榮行脈中衛行脈外復發其汗榮衛和則愈宜桂枝湯

補　凡本編之例、始擧冒首者、示病位之大本也、中擧證候者、示陰陽表裏淺深緩急也、終擧脈狀者、斷陰陽表裏也、以此參互錯綜、而後處治法者、乃古之道、而仲景氏之所傳也、此三者闕一、則不可爲診治也、而此章、突然云病常自汗出、而不擧冒首、與脈狀、則無可知陰陽表裏也、夫仲景氏之道、非徒一法治一病已、變通自病者也、其所以變通者、以陰陽表裏皆有規則也、今有人于此、病常自汗出、而其脈沈微、又有人病常自汗出、而其脈浮大、乃何以取變通於此章乎、可見僞章不足取、皆此類也、且論榮衛不和、不得其要、試問使榮衛不和者、果何物、

病人藏無他病時發熱自汗出而不愈者此衛氣不和也先其時發汗則愈宜桂枝湯【補】與前章同議論也

傷寒脈浮緊不發汗因致衄者麻黃湯主之【補】剽竊本編麻黃湯致衄章者不足取

傷寒不大便六七日頭痛有熱者與承氣湯其小便清者知不在裏仍在表也當須發汗若頭痛者必衄宜桂枝湯【補】不大便六七日而荏苒有熱且頭痛雖大陽亦屬傍證則可以爲裏實證然未備潮熱讝語等證則未可與承氣湯也其小便清者雖仍在表然

既惡寒發熱等證罷、則不可爲發汗之的證也、若頭痛者、加之以衄、則爲桂枝證、然亦有葛根麻黄證也、要之、苟且杜撰、不足取、

傷寒發汗已解、半日許復煩、脈浮數者、可更發汗、宜桂枝湯。

補　此章、膚淺不足取、

凡病、或大陽病、或中風、或陽明合病也、而包其他諸證、發汗吐下後而說之也、以明其愈者與不愈者之候也、**若發汗、若吐、若下、若亡津液、**凡亡津液者、或發汗過多、或發汗而又下之、於是有亡津液者也、而今不云若發汗、若吐、若下而亡津液者、以有發汗若下之、而亡津液者、又有不亡津液者故也、**陰陽自和者、必自愈。**陰陽以其脈與其證之地位言之也、謂其脈陰陽自和、其證陰陽之地位皆和也、言或大陽病或中風、或陽明合病、及其

他諸證或與發汗劑或與吐劑或與下劑既已服藥已其脈陰陽自和其證陰陽之地位皆和者權停其治以觀其後證此必不須與藥而自愈者也

大下之後復發汗小便不利者亡津液故也是明上文云亡津液陰陽自和者必自愈之證也凡亡津液者發汗過多或大下之後復發汗以致亡津液者也言發汗過多若大下之後復發汗而以致小便不利其脈陰陽自和其證陰陽之地位皆和者是非病也亡其津液故致此小便不利也

勿治之得小便利必自愈此得小便利則必不待與餘藥而自和者也若發汗過多若大下之後復發汗其脈陰陽未和其證陰陽之地位仍未和而致小便不利者是即病也各隨其證治之也

下之後復發汗云下之者以明所以虛其內也云發汗者以明所以虛其外也此非必謂下之之後復發汗者將明所以致內外虛之因故托下後發汗明之也學者得

其魚而忘其筌可也、凡以發汗吐下言之者皆然也、學者知之則應變於病而不窮也、此能者之所以變之爲百者也、不可不察也。**必**必者、必於虛內外也、非必於發汗下後也。**振寒脈微細**、謂其人不發熱、但振振而寒、脈微細者也、振寒大與惡寒異也、言下之之後復發汗、則必虛其內、又虛其外、既虛其內、又虛其外、其人必不發熱、但振振而寒、脈微細也、振振而寒、脈微細者、以內外俱虛故也、隨其證治之。**所以然者、以內外俱虛故也。**若發汗而下之後、其人蒸蒸發熱汗出、振振而寒、其脈浮弱者、是非病也、將欲解也、權停其治以觀其後證、此必不須與餘藥而自愈者也。**下之後、復發汗、**下之、以明虛其內之因也、發汗、以明虛其外之因也。**晝日煩躁不得眠、夜而安靜、**凡病晝日而劇、夜而安靜者、大抵是於法爲裏有寒有虛者也、晝日而安靜、夜而劇者、大抵亦是於法爲裏有熱有實者也、非云必皆如斯、此學者之當爲心識者也、**不嘔不渴無表證脈沈微身無大熱者、**此明非裏實、非裏熱、又非表證之未發盡其汗者、是陰陽俱虛、故身熱不去者也、

乾薑附子湯主之、是承上文、以明太陽病及中風其表證已解之後證、以包傷寒表證已解之後證也、以明脈有三道之疑似、而證亦有三道之疑似也、所謂脈有三道之疑似、凡此類證之脈、陽證而沈緊者三、沈遲者二、沈微者亦三、皆與此陰陽俱虛、脈沈微者相混者也、所謂證亦有三道之疑似、其一道者、云下之後者、以明下虛其內之因也、云復發汗者、以明虛其外之因也、是通下章、以明大陽病中風傷寒表證解之後證有陰陽兩虛水氣證之別也、大陽病中風傷寒、表證已解之後、心下逆滿頭眩煩躁、脈沈緊、猶似有表證者、是陽證水氣騷擾之證也、茯苓桂枝白朮甘草湯主之、氣上衝胸頭眩、微煩躁脈沈微、猶似表證有所不解者、是其內已虛、其外猶實、而不知者

也芍藥甘草附子湯主之晝日煩躁夜而安靜脈沈微無表證者是陰陽俱虛者也乾薑附子湯主之其餘二道者凡病晝日而劇夜而安靜者大抵是於法爲裏有寒有虛者也晝日而安靜夜而劇者大抵亦是於法爲裏有熱有實者也故晝日煩躁夜而安靜有表證脈沈緊者當有陽證水氣成寒之候晝日煩躁夜而安靜無表證脈沈微者當有陰證水氣之候晝日安靜夜而劇無表證脈沈微者當有裏有實有寒者晝日安靜夜而劇無表證脈沈遲者當有裏有熱實胃實之候此大法也非云必皆如斯此學者之當心識者也其治法必亦有先後之別者也其一道者云晝日煩躁不得眠夜而安靜者此明內外俱虛之證也又明水氣成寒者之疑證也凡病日晡所發潮熱續不了了者大抵是大承氣湯之胃實及大小柴胡及大陷胸湯之熱實也晝日明了夜而煩躁不得眠者大抵是桃核承氣湯之熱結下部及抵當湯之血證也晝日煩躁夜而安靜者大抵是小青龍湯水氣

成寒者及乾薑附子湯陰陽俱虛之證也其一道者云不嘔不渴無表證脈沈微身無大熱者此明非裏實非裏熱又非表證未發盡其汗者是陰陽俱虛故身熱不去者也若渴而嘔表證仍在而身無大熱脈沈緊者大抵是大小柴胡湯之證也渴而不嘔表證仍在而身無大熱脈沈微者此欲結胸大抵是大陷胸湯之證也不嘔不渴表證仍在而身無大熱脈沈微者大抵是桃核承氣湯熱結下部及抵當湯之血證也不嘔不渴無表證晝日煩躁脈沈微身無大熱者大抵是乾薑附子湯陰陽俱虛之證也言大陽病中風傷寒吐下之後復發汗表證已解心下逆滿頭眩煩躁脈沈緊者是水證驗擾茯苓桂枝白朮甘艸湯主之若氣上衝胸頭眩微煩躁脈沈微者此內已虛而外實而猶未和者芍藥甘草附子湯主之晝日煩躁夜而安靜無表證脈沈微者此陰陽俱虛乾姜附子湯主之此皆已經吐下發汗者也若下之後復發汗日晡所發潮熱續不了了嘔而渴表證仍在而身無

大熱、脈沈緊者、小柴胡湯主之、若嘔不止者、大柴胡湯主之、若下之後、復發汗、日晡所發潮熱、續不了了、渴而不嘔、表證仍在、而身無大熱、脈沈微、或沈遲者、此欲結胸、大陷胸湯主之、若下之後、復發汗、日晡所發潮熱、續不了了、不嘔不渴、無表證、脈沈遲、手足濈然汗出者、此胃實也、大承氣湯主之、若下之後、復發汗、晝日明了、夜而煩躁、不得眠、不嘔不渴、身無大熱、脈沈微者、此熱結下部、桃核承氣湯主之、若下之後、復發汗、晝日明了、夜而煩躁、不得眠、不嘔不渴、表證仍在、而身無大熱、脈沈微、小便自利者、此血證也、抵當湯主之、若下之後、復發汗、晝日煩躁、不得眠、夜而安靜、嘔而渴、表證仍在、而身無大熱、脈沈遲者、此水氣成寒者、小青龍湯主之、若下之後、復發汗、晝日煩躁、不得眠、夜而安靜、不嘔不渴、無表證、脈沈微、身無大熱者、此陰陽俱虛、乾薑附子湯主之也、

乾薑附子湯方

乾薑一兩　附子一枚

右二味、以水三升、煮取一升、去滓頓服、

發汗後、身疼痛、脈沈遲者、桂枝加芍藥生薑各壹兩人參三兩新加湯主之、

補　此章據身疼痛、脈沈遲、則少陰病、當用附劑者也、而今仍主桂枝湯者、以爲榮衞不和乎、又加芍藥生薑人參者、抑以爲榮虛乎、要之、後人之伎倆、不可知其意之所在也、又方名新加者、可以徵後人之加托也、

桂枝加芍藥生薑各一兩人參三兩新加湯方

桂枝三兩　芍藥四兩　甘草二兩

人參三兩　大棗十二枚　生薑四兩

右六味、以水一斗二升、煮取三升、去滓、溫服一升。

發汗後、不可更行桂枝湯、汗出而喘、無大熱者、可與麻黃杏仁甘草石膏湯。

【補】是發汗後、表裏無大熱、餘邪在心胸中而爲喘者、方證相對、可以試用也。然其人既汗出而喘、表裏無大熱、又無脈狀之可據、而用大青龍湯之變方、則得無厥逆筋惕肉瞤之慮乎。學者當詳審脈證、而後用之、而不可以爲定規矣。是所以出於後人也。凡仲景氏之法方、陰陽逆順、表裏上下、無往而不圓活、取諸左右、皆逢源也。猶聖人之道、華夷從橫、無弊焉。所以爲醫聖也。至肘後千金以下之方書、則或得之於前、或失之於後、猶諸子百家、得失互有也。故醫者先學傷寒病論、優游涵泳、研精覃思、明於陰陽之機會、逆於萬病之統體、以臨肘後以下曲直良散、可並而辨也、而後摘以助吾術、則庶可無大過矣、猶君子先學六經、通禮樂之源、而後渉獵諸子百家、時施有政也、若夫固執後世書、偏承時師家法、以應萬病、其不敗者鮮矣、學者不可不察焉、

麻黃杏仁甘艸石膏湯方

麻黃四兩　杏仁五十個　甘艸二兩　石膏半斤

右四味、以水七升、先煑麻黃、減二升、去上沫、内諸藥、煑取二升、去滓、溫服一升、

發汗過多、其人叉手自冒心、心下悸、欲得按者、桂枝甘艸湯主之、精發汗後、心下悸欲得按者、水氣將上衝之候也、今以桂

枝甘艸湯爲主者似而非者也且叉手自冒心者卽病人一時之苦狀豈足以爲證候乎

桂枝甘艸湯方

桂枝四兩　甘艸二兩

右二味以水三升煮取一升去滓頓服

發汗後其人臍下悸者欲作奔豚茯苓桂枝甘艸大棗湯主之【補】是亦水氣上衝證也而擧病名論者非本編之例也

茯苓桂枝甘艸大棗湯方

茯苓半斤　甘艸二兩　大棗十五枚　桂枝四兩

右四味以甘爛水一斗先煮茯苓減二升內諸

藥、煮取三升、去滓溫服一升、日三服、作甘爛水法、取水二斗置大盆內、以杓揚之、水上有珠子五六千顆相逐、取用之、

發汗後腹脹滿者、厚朴生薑甘艸半夏人參湯主之、補發汗後、腹脹滿者、證因多焉、而此章不擧餘證與脈狀、不可知其陰陽表裏也、

厚朴生薑甘艸半夏人參湯方

厚朴半斤　生薑半斤　半夏半斤

人參一兩　甘艸二兩

右五味、以水一斗、煮取三升、去滓溫服一升、日三

三服

傷寒是擧傷寒表證已解之後證多有水氣壓擾之證及虛寒之證以辨其疑途也此以傷寒言之者是爲茯苓甘草桂枝白朮湯明其地位也若吐以明吐後微動經而有致心下逆滿氣上衝胸起則頭眩之證也若下後以明下後其內空虛水證上攻而有致心下逆滿氣上衝胸起則頭眩之證也心下逆滿氣上衝胸起則頭眩不起則或無之也脈沈緊既以傷寒言之又云脈緊者以明似其表頗不和者也發汗則動經不發汗則或無之也云動經者法語也身爲振振搖者茯苓桂枝白朮甘草湯主之身爲振振搖者動經之證也頭眩亦微動經之證也上云起則頭眩下云發汗則動經皆以則言之而中擧脈沈緊者爲茯苓桂枝白朮甘草湯審其證也言

雖心下逆滿氣上衝胸而不微見頭眩之證則非茯苓桂枝白朮甘草湯之證也雖心下逆滿氣上衝胸而不見振振搖者亦非茯苓桂枝白朮甘草湯之證也此茯苓桂枝白朮甘草湯之證者是為純陽證故必有似其表不和者也其云發汗則動經者心下逆滿氣上衝胸起則頭眩者雖未見身為振振搖而是必身為振振搖者也故心下逆滿氣上衝胸起則頭眩者茯苓桂枝白朮甘草湯之證也其心下逆滿氣上衝胸身為振振搖者固是的然茯苓桂枝白朮甘草湯之證也不須疑者也起則頭眩者是有疑途者也非專茯苓桂枝白朮甘草湯之證者也心下逆滿氣上衝胸起則頭眩者是非發汗之所治也而必云發汗者以明心下逆滿氣上衝胸起則頭眩者是茯苓桂枝白朮甘草湯之常證而其所主治也而不解者非誤治則是為變證也必言之者所以審茯苓桂枝白朮甘草湯之地位與其所主治也又其云若吐若下後者一則亦明其表不和又虛內而致心下逆滿氣

上衝胸起則頭眩之證也其云吐者取其表不和也其云下之者取虛其內也此其表猶實而其內獨虛者其脈或沈緊或沈微者也芍藥甘草附子湯主之一則亦明既虛其陽又虛其陰而致心下逆滿氣上衝胸起則頭眩之證也云吐者取虛其陽也云下者取虛其陰也此內外俱虛者其脈必沈微者也乾薑附子湯主之也

發汗病不解

心下逆滿氣上衝胸起則頭眩之證不解也此以發汗言之者以明似其表有不和者也又以明此證深於茯苓桂枝白朮甘草湯之證一等者也

反惡寒者

今發其汗則其本有惡寒者固當解也是本無惡寒者今發其汗而更致惡寒故云反也心下逆滿氣上衝胸起則頭眩者未見惡寒而是必當惡寒者也而但未惡寒耳今發其汗以動其證故見其本證也其外猶實故雖發其汗而無害也若其外不實者必致內外俱虛之證是發其汗之害也

虛故也

今發其汗而更反致惡寒者此非發其汗之所致也此證

本其內虛、而其外猶實、而不和者也、**芍藥甘艸附子湯主之、**夫心下逆滿、氣上衝胸、起則頭眩、其內已虛、而其外猶實、而不和者、其脈或沈緊、或沈微者也、其沈緊者、於法、先與茯苓桂枝白朮甘草湯、旣與茯苓桂枝甘草湯、不解、而後與芍藥甘草附子湯、其沈微者、卽與芍藥甘草附子湯、若心下逆滿、氣上衝胸、起則頭眩、其始不惡寒、而後更惡寒者、亦卽芍藥甘草附子湯主之、若發其汗、以動其證、而更反惡寒、病不解、是其外猶實、而不和、而其內虛者也、固當芍藥甘草附子湯主之、若發其汗、病不解、而更晝日煩躁、夜而安靜者、是內外俱虛、乾薑附子湯主之也、**發汗若下之、**此以發汗若下之言之者、一則明此證比芍藥甘草附子湯之證、則更深一等者也、二則明內外俱虛者也、三則明發汗、以動經、乃致此煩躁、或下之、以虛其內、水氣騷擾、乃致此煩躁也、故云發汗若下之者、假設之言、以明此三義也、**病仍不解、**仍者、再三洊之言也、與前云病不解者相應也、若者爲彼則不爲此之言也、故知欲明上三義而爲假設之言也、云病仍不解病者謂心下逆滿、氣上衝胸、起則頭眩者也、此證既非發汗若下之所治、又云病仍不解、以與前云病不解者相應、則明用此茯苓四逆湯者、大抵在芍藥甘草附子湯及乾薑附子湯之後、而與茯苓桂枝白朮甘草湯、其地位大異也、

煩躁者是非專虛寒之煩躁、亦有水氣騷擾也、

茯苓四逆湯主之、芍藥甘草附子湯及乾薑附子湯、此二者、其證相通而茯苓桂枝白朮甘草湯及茯苓四逆湯、其證亦相通也、夫茯苓桂枝白朮甘草湯與茯苓四逆湯、皆主水氣騷擾而有內外虛實之異也、芍藥甘草附子湯與乾薑附子湯、皆主虛寒而有外證有無之別也、此其所主治者、非復一口之所論、然而及其用之、則時有前後之施、故云病仍不解、以承芍藥甘草附子湯、又云發汗若下之、以承茯苓桂枝白朮甘草湯也、曰心下逆滿、氣上衝胸、起則頭眩、脈沉緊者、

反更惡寒及脈沈微者與芍藥甘草附子湯既與芍藥甘草附子湯而不解又更煩躁者是爲虛寒之煩躁先與乾薑附子湯病仍不解煩躁不罷者是非專虛寒之煩躁亦有水氣騷擾茯苓四逆湯主之也此所以承芍藥甘草附子湯也曰心下逆滿氣上衝胸起則頭眩脈沈緊者既與茯苓桂枝白朮甘草湯病仍不解遂煩躁其脈或沈微其人見虛者茯苓四逆湯主之也此所以承茯苓桂枝白朮甘草湯也

發汗後惡寒者虛故也

此以明與芍藥甘草附子湯俱承茯苓桂枝白朮甘草湯之後也心下逆滿氣上衝胸頭眩脈沈緊者與茯苓桂枝白朮甘草湯諸證已解後時有調胃承氣湯之證也必云發汗後惡寒者虛故也以申芍藥甘草附子湯之證者以明諸凡大陽病及傷寒發汗後表證已解或有芍藥甘草附子湯之證及調胃承氣湯之證也又上文但云發汗此獨云發汗後者以申前乾薑附子湯之章而明諸凡大陽病及傷寒發汗後而未下之者

表證已解、或有乾薑附子湯之證、及調胃承氣湯之證也。不惡寒但熱者實也。當和胃氣、與調胃承氣湯。此以照下發汗後之章、以明胃中乾者欲得飲水、而醫或禁之、不使胃氣和、則或致調胃承氣湯之證也。言傷寒若吐若下後、心下逆滿、氣上衝胸、頭眩、脈沈緊者、與茯苓桂枝白朮甘草湯、諸證已解後、不惡寒但熱者、實也。當和胃氣、調胃承氣湯主之也。太陽病傷寒、發汗後、復惡寒、脈沈微、頗似有表證不和者、芍藥甘草附子湯主之。若無表證、晝日煩躁、夜而安靜、脈沈微、身無大熱者、乾薑附子湯主之。若不惡寒但熱、陽脈緩、但陰脈微者、此實也。當和胃氣、調胃承氣湯主之也。言傷寒表證已解、或有水氣騷擾之證、或有虛寒之證、此二證者、最難於辨別、當審其疑似、而後以處其方也。又有與茯苓桂枝白朮甘草湯之後、其證已解、不入陰證、但胃中不和而實者也。故此一章、分為四節而論之。以茯苓桂枝白朮甘草湯言之、則傷寒表證猶未和而心下逆滿氣上衝胸起則頭眩者此猶爲純陽證而水氣騷擾茯苓桂枝白朮甘草湯主之也若表證猶未和心下逆滿氣上衝胸身爲振振搖者此亦純陽證而水氣騷擾者茯苓桂枝白朮甘草湯主之也若吐之而未下之若下之而未吐之其表證猶頗不和內見其虛而心下逆滿氣上衝胸起則頭眩脈沈緊或沈微者此其表猶實而不和其內獨虛者也芍藥甘草附子湯主之若既吐之復下之而無表不和之證心下逆滿氣上衝胸起則頭眩脈沈微者此內外俱虛乾薑附子湯主之也以芍藥甘草附子湯言之則傷寒若吐之而未下之若下之而未吐之其表證頗未和內見其虛而心下逆滿氣上衝胸起則頭眩脈沈緊或沈微者此其表猶實而未和其內獨虛者也其脈沈緊者於法先與茯苓桂枝白朮甘草湯既與茯苓桂枝白朮甘草湯不解而後與芍藥甘草附子湯其沈微者即與芍藥甘草附子湯若心下逆滿氣上衝胸起則頭眩其始不惡寒而後更惡

寒、亦卽芍藥甘草附子湯主之、若心下逆滿、氣上衝胸、起則頭眩、發其汗、以動其經、而更反惡寒、脈沈微者、芍藥甘草附子湯主之、若心下逆滿、氣上衝胸、起則頭眩、發其汗、病不解、而更晝日煩躁、夜而安靜、此內外俱虛、乾薑附子湯主之也、以茯苓四逆湯言之、則傷寒既吐之、復下之、心下逆滿、氣上衝胸、起則頭眩、脈沈緊者、既與茯苓桂枝白朮甘草湯、病仍不解、遂煩躁、其脈或沈微、其人見虛者、卽茯苓四逆湯主之、若心下逆滿、氣上衝胸、起則頭眩、脈沈緊者、發其汗、反更惡寒、脈沈微者、與芍藥甘草附子湯、病仍不解、又更加煩躁者、此爲虛寒之煩躁、先與乾薑附子湯、既與乾薑附子湯、病仍不解、煩躁不罷者、此非專虛寒之煩躁、亦是有水氣騷擾、茯苓四逆湯主之也、若以調胃承氣湯言之、則傷寒心下逆滿、氣上衝胸、起則頭眩、脈沈緊者、與茯苓桂枝白朮甘草湯、諸證已解、後不惡寒、但熱者實也、當和胃氣、調胃承氣湯主之也、

太陽病傷寒、發汗後惡寒、脈沈微、頗似有表證、不

和者、芍藥甘草附子湯主之、若無表證、晝日煩躁、
夜而安靜、脈沈微、身無大熱者、乾薑附子湯主之、
若不惡寒、但熱、陽脈緩、但陰脈微者、此
實也、當和胃氣、調胃承氣湯主之也、

右正文五章、通前二十一章、爲總結大一節、
其前三章、補大陽病中風發病之所未備也、
其後二章、終結大陽病中風傷寒
之諸證也、合二十六章而一終矣、

茯苓桂枝白朮甘艸湯方

茯苓四兩　桂枝三兩　白朮二兩　甘艸二兩

右四味、以水六升、煮取三升、去滓、分溫三服、

芍藥甘艸附子湯方

芍藥三兩　甘艸三兩　附子一枚

右三味、以水五升、煮取一升五合、去滓、分溫二服、

茯苓四逆湯方

茯苓六兩（宋板六兩作四兩）　人參一兩　甘艸二兩

乾薑一兩半　附子一枚

右五味、以水五升、煮取三升、去滓、溫服七合、日三服、

序例曰、自篇首總目章、以至此章、凡正文三十六章、分為七節、復通為二條、大首一節三章、為太陽病總目章、就中岐為中風傷寒、是中風傷寒、皆為太陽病屬病也、始一章、即太陽病總目章也、第二章、太陽病中之岐、中風總目章也、第三章、太陽病中之岐、傷寒總目

章也、右三章一節者、但爲大陽病中風傷寒發病之候、審諦其證淺深之地位也、及其病一轉之後、則不復與此三章相關也、大抵此三章之所關、至小青龍湯而盡矣、如其緒餘、則及茯苓四逆湯也、以此三章照桂枝湯至小青龍湯十八章、使人審諦大陽病中風傷寒發病之候也、既審諦中風傷寒發病之候、則隨病應變無方、隨病應變無方、則此三章爲得魚兎之筌蹄也、其次四章、爲小首一節、始一章、先擧中風大表之證、以明中風其證最在外、而爲大陽病中之大岐也、第二章、始擧大陽病大表之證、以明大陽病經常者也、第三章、次擧大陽病在大表、而及間證者也、必擧大陽病在大表、而及間證者、所以審諦桂枝湯之地位也、第四章、次擧大陽病中風大表證、逆治誤治之後法、以明桂枝湯之用法、以結桂枝湯之地位也、此後證例當擧葛根湯、今不然者、將擧傷寒發病、似桂枝湯大表證者、以明其地位故也、其次三章、爲第二節、始一章、擧大陽病發汗後一轉之證、有陰證在下者也、第二章、擧大陽病下後一轉之證、有陰證在上者也、第三章、始擧傷寒發病、似桂枝湯大表證、而陽虛在內者也、以應中風桂枝湯之證、以明傷寒亦爲大陽病中之一岐也、此三章之內、前二章、例當擧大陽病發病之候、今不然者、將明第三章傷寒發病其證似大表、而其地位之深、比桂枝湯差三四等也、此傷寒發病之地位、與小靑龍湯之證相深淺也、既擧傷寒發病、似桂枝湯大表證者、故後章還擧大陽病發病次桂枝加葛根湯之證、其次四章、爲第三節、此不承於傷寒發病甘艸乾薑湯之證、而上接於桂枝加葛根湯之證、始一章、擧大陽病發病大表之間證、次明葛根湯之地位、此深桂枝加葛根湯之證一等者也、第二章、擧大陽病發病大表之間證在下者、以廣葛根湯之主治也、

第三章、舉大陽病發病大表之間證上攻者、以廣葛根湯之主治也、第四章、變其通例、舉桂枝湯證逆治之後證者、以明桂枝湯及葛根湯、其地位雖異、而皆以和爲主、而解其病也、使人知其立方之主意、大與麻黃大青龍湯不同、又以結葛根湯之地位也、此結葛根湯之地位、而不以葛根湯言之、必舉桂枝湯者、引中風桂枝證之治法、接之於麻黃湯也、其文三章、爲第四節、此主表證盛熱而無裏證者也、其地位則深葛根湯一等、而其證則大劇、以其盛熱之故也、此主大陽病中風、而既伏傷寒於其中、始一章、舉大陽病中風發病表證盛熱者也、第二章、舉大陽病中風發病表證盛熱、而及其裏者、以廣麻黃湯之主治也、第三章、變其通例、舉大陽病中風十日以後、見麻黃湯證者、以結麻黃湯之地位也、不以餘藥言之、而必以麻黃湯結之者、以明此麻黃湯主治、與二章大小青龍湯、俱是主

盛熱、但有淺深之別也、其文四章、爲第五節、
此舉表證盛熱、又有裏證者、客中風而主傷
寒者也、始一章、舉傷寒發病表證盛熱、而裏
有伏熱者也、此舉中風一轉之客病、以明傷
寒主病之深劇也、第二章、舉傷寒發病、表證
無盛熱、而裏有伏熱者也、第三章舉傷寒發
病後、表證盛熱、而裏有水氣證者也、第四章、
舉傷寒中風、表證無盛熱、而裏有水氣證者
也、此四章者、第二章後、例當結大青龍湯、今
不然者、以明大小青龍湯、其地位大抵同一
也、而有少差別、小青龍頗深於大青龍湯也
其第四章、例當結小青龍湯、今不然者、爲傷
寒之故也、與前傷寒甘草乾薑湯章、俱不用
結後、以明傷寒發病其變多端、不可先結定、
而當臨時應變、以處於其治也、愼重傷寒之
治法、此編輯之本意也、自此以上、至桂枝湯、
首章、皆明太陽病中風傷寒發病之候、其次
五章、通前二十一章、爲第六總結大節、始一

章、擧大陽病發病、不施治者、以補桂枝湯證之變治也、第二章、擧大陽病逆治之後證、以補桂枝湯葛根湯之所未備也、第三章、擧大陽病誤治之後證、以補麻黃葛根桂枝之所未備也、第四章、擧大陽病中風表證解後、內外俱虛者、以結終大陽病中風發病之諸證也、第五章、擧傷寒解後、有水氣騷擾虛寒諸證、以結終傷寒發病之諸證也、此五章通前二十一章、以始三章爲補遺、而其終二章、爲前二十一章之總結而終也、此其序次之大例也、其分爲二十六章者、所以審識發病得病之因、審識上下內外淺深陰陽之證也、其分爲七節者、所以審識其病之地位、與其湯藥之地位也、其復通二十六章爲二條者、將欲使學者混同此二十六章七節之諸證、合爲一途、以彼所有之證、合此所無之病、又以此所有之證、合彼所無之病、通其有無視其緩急、以審識其上下內外淺深陰陽之證、與

其地位臨病應變而出奇無窮也若善此道則今方可以爲古方一藥可以應百證此傷寒論編輯之本意也其在學者不可不知者矣

傷寒論特解卷之二

的治療方

小野蘭山先生鑒定　小本一冊

此書ハ諸方書中ニアル所ノ單方最モ奇効アリテ急卒ノ病苦ヲ救フベキ方法ヲ數多撰ヒ出シテ國字ヲ以テコレヲ記シ雅俗トモ能通用スル簡便ノ書ナリ其藥物ハ小野蘭山先生ノ訂正ナレバ一モ謬誤ナシ濟世ノ意アル者ハ闕ベカラザルノ書ナリ

小刻温疫論

恬淡先生訂正　小本一冊

此書ハ年希堯經驗四種中ノ巾箱小本ヲ翻刻スル所ニシテ舊本ニ比スレバ字畫粲然トシテ一点誤字ナシ師ヲ見テ他邦ニ遊フモノ笈中備用ニ便ナリ

醫事古言

吉益東洞先生評　花山先生校　全一冊

此書ハ秦漢以上ノ古書中醫事ニ係ル所ノ語ヲ采録シテ東洞翁コレガ評語ヲ附セルモノナリ世ノ古医法ヲ唱ルモノ必讀ノ書ナリ

経穴秘授

康洲先生著　小本一冊

此書ハ平生多ク便用スル所ノ灸穴ヲ諸書ニ於テ其る寸ヲ折衷シテ國字ヲ以テ記シ巾箱本トス従来経穴ノ諸書アリト雖モ此書ノ便易ナルニシカズ一ヽク素靈難経甲乙等ヲ繙クニ及バズ諸経絡ノ灸穴掌中ニ瞭然タリ

日用藥品考

溶々齋先生著　小本一冊

此書ハ醫家日用ノ藥品水土金石草木其他修製ノ物及ヒ山野ニ自採スヘキ品又家園ニ培栽スヘキモノ等真偽上下ヲ辨シ和漢ノ有無ヲ討シ藥舖ニ於テ通用スル所ノ種々ノ名稱印號マデ委ク記載ス啻ニ醫家日用ノミナラズ多識ノ学ヲ嗜モノ必貯ヘキ書ナリ

古方通覧

浅井先生校正　佐藤春杏著　小本一冊

傷寒論特解
三
十武日
307
3

門
中武9
號
307
卷

傷寒論特解卷之三

大日本　安藝　靜齋齋先生著
門人　尾張　淺野徽元甫　補註
男子　富田肥大順　校正

大陽病篇第三

大陽病發汗後、此舉五苓散之疑證而遲發者也、云大陽病發汗後者、先為一章舉其綱、大汗出、非謂發汗後、又大汗出也、發汗之時、也、大汗出也、上文舉其綱、故其下舉曰、胃中乾、法語也、煩躁不得眠、此胃中乾之證也、欲得飲水者、少少與飲之、謂病人意謂得水則當往也、非謂渴也、云發汗大汗出、煩躁不得眠者以照前乾薑附子湯章而明發汗大汗出後有內外俱虛之證又一轉以明甘草乾薑湯陽虛之證也**令胃氣和則愈**以明胃中乾煩躁欲得飲水者是非病也少少與水飲之令胃氣和則愈不須與藥也又照上章調胃承氣湯證明胃中乾煩躁者醫或禁水不與之遂致調胃承氣湯證又照下文脈浮小便不利之證以明有豬苓湯證之別也**若脈浮小便不利微熱消渴者與五苓散**與者權宜與之觀後證也為此辭者以明有豬苓湯及白虎湯之疑似也言大陽病發汗而大汗出煩躁不得眠病人意謂得水則當佳而非云渴者是於法名為胃中乾也以大汗出之後證也此證少少與水飲之令胃氣和則愈此非病故也醫若禁飲水而後不惡寒而但熱者是胃實也調胃承氣湯主之也若發汗而大汗出後煩躁不得眠咽中乾其脈浮微者是為陽虛甘草乾薑湯主之若發汗而大汗出後脈沈微振振有寒煩躁不得

眠者、此爲內外俱虛、乾薑附子湯主之、若發汗而大汗出後、脈浮、小便不利、微熱消渴者、先與五苓散、以觀其後證、若其脈浮數者、的然是五苓散之證也、若脈但浮者、疑於其證或深、是以表水上逆之證也、若脈浮胃中不和、下利若腹滿、小便不利、微熱消渴者、是爲裏水上逆、猪苓湯主之、若脈浮滑、小便不利、微熱消渴者、或心煩、或微惡寒、則是非裏水、非表水、此爲裏熱將成厥陰、白虎湯主之也、

發汗已、脈浮數、煩渴者、五苓散主之

是擧其前證易、而後證劇者也、五苓散之本證而速發者也、此文例當云若而更端、今不然者、若也者、是渉疑之辭也、此文的然、擧五苓散之本證、的然不渉疑者、故不云若也、云發汗已、脈浮數煩渴者、未發汗之前、其病證頗緩、脈或浮或緩者、今發汗已、其脈反浮數、其證反加煩渴者、非復表熱之所爲也、其發汗之故、動表而表水上逆者也、凡五苓散之證、於法爲動、表而表水上逆、猶如苓桂朮甘湯之證、動經而水

證驗擾者、然五苓散之證、甚易、而苓桂朮甘湯之證太劇也、此異類而同證者也、凡五苓散之證者、表水上逆之證也、其法、大抵爲動表、故其脈浮數、爲本脈、其但浮者、或是爲深證、何則是表水上逆之所爲、法當浮數、上逆之故也、其最易者、微熱而渴、其脈浮者也、其次、無熱而脈浮數煩渴者也、又其次、無熱脈浮而渴者也、又其次、無熱、小便不利而渴、脈浮數者也、又其次、小便不利、微熱消渴者也、又其次、發熱而煩渴欲飲水、水入則吐者也、總之、表水上逆者、法當脈浮數、故以浮數爲其本脈也、其脈浮者、却是爲深證者、其證在内、故但浮而不數也、然其上逆之未劇者、自然是當脈但浮也、其有微熱者、是表水之故也、其發熱者、或是非本證、本有表證不能解也、其有發熱惡風惡寒者、皆爲表水而外證不能解者、與五苓散、其證自解也、非五苓散之本證、是但治法也、凡五苓散之證、不過表水上逆、故渴與小便不利爲其本候也、又五苓散之煩者、心中煩如覺煩、而總身煩濁不安不明了者也、言大陽病、表水上逆、其證微熱而渴、其脈浮者、此其最易者、五苓散主之、又無熱而煩渴、亦五苓散主之、又無熱而渴、其脈浮者亦五苓散主之、又小便不利、無熱而渴、脈浮數者、亦五苓散主之、又小便不利、微熱消渴者、亦五苓散主之、又發熱而煩渴、欲飲水、水入則吐者、亦五苓散主之也、

五苓散方

猪苓十八銖　澤瀉一兩六銖　茯苓十八銖

桂半兩　白朮十八銖

右五味爲末、以白飲和服方寸匕、日三服、多飲煖水、汗出愈、補多飲煖水以下、後人之所加、當刪去也、

傷寒汗出而渴者五苓散主之是擧前證劇而後證易者也云傷寒汗出者一者明非表熱入裏而致此渴者也一者明雖如表證仍在者非是表證仍在者此表水上逆及水證騷擾在表之故使表證不得去者也治其表水上逆及水證騷擾在表之證則表證自去也

不渴者茯苓甘艸湯主之言傷寒汗出而不煩但渴其脈浮數者是表水上逆五苓散主之若汗出而不渴而煩其脈浮數者是水證騷擾在表茯苓甘草湯主之若汗出而煩渴其脈浮數者猶爲表水上逆五苓散主之若汗出而不煩但渴其脈浮有陽明證者是裏水上逆猪苓湯主之若汗出而不煩但渴其脈沈緊者是水證騷擾在裏茯苓桂枝白朮甘草湯主之也

五苓散猪苓湯及白虎湯之煩渴其別如何也曰五苓散猪苓湯之煩渴大體是同也而有其別者

五苓散是表水上逆而無陽明胃中之證者也猪苓湯頗見陽明胃中之證者也是爲裏水上逆是其病本之別也然則此二湯之煩渴皆其水上逆之所爲也雖有熱候而亦易易耳白虎湯之煩渴是熱結心胸中而心中大煩且渴者也其熱候太劇此三湯煩渴之別也

五苓猪苓同其證而不同其地位茯苓甘草茯苓桂枝白朮甘草亦同其證而不同其地位小青龍湯眞武湯又其證相類而其地位異陰陽者也五苓散爲表水上逆之證猪苓湯爲裏水上逆之證此雖以表裏言之而其實但淺深之異耳猪苓湯之證深於五苓散一等二等而及於陽明胃中者也茯苓甘草湯爲水證騷擾在外者茯苓桂枝白朮甘草湯爲水證騷擾在內者是茯苓甘草湯之證在大表者也而茯苓桂枝白朮甘草湯之證深於茯苓甘草湯三等四等者也小青龍湯爲陽證水氣而眞武湯爲陰證水氣是小青龍湯之水氣主在心下而帶熱候眞武湯之水氣不主心下而

於法、爲無熱候者也、此六湯之別、不可不察者也、

以上二章、始一章、先明大陽病解後、有五苓散猪苓湯之疑途、然後遂入五苓散之正證也、終一章、明傷寒汗出而解後、有五苓散茯苓甘草湯之別也、總此二章、五苓散名爲表水上攻、而猪苓湯名爲裏水上攻也、五苓散、既爲表水上攻、而茯苓甘草湯、名爲表水驟擾也、

茯苓甘艸湯方

茯苓二兩　桂枝二兩　生薑三兩　甘艸一兩

右四味、以水四升、煮取二升、去滓、分溫三服、

中風發熱、六七日不解而煩、是擧五苓散水逆之治法、以辦五苓散梔

子豉湯虛實、煩之別也、因以明五苓散梔子豉湯之淺深也、其云中風發熱六七日不解而煩者、言中風六七日、法當自解、而不解、而更加其煩者、雖云中風之證、全然仍在、而非復中風之證、是以內有表水上逆之證、故使發熱表證不得解也、**有表裏證、**表證、謂發熱也、裏證、謂煩渴也、是別梔子豉湯無發熱表證者也、**渴欲飲水、水入則吐者、名曰水逆、**渴欲飲水、水不入則不吐、但水入則吐、是於法、為內有水、而與飲水相逆、故名曰水逆也、又別梔子豉湯無表證、水藥皆不得入口者也、**五苓散主之、**是言五苓散之證、為表水上逆者、故脈浮數煩渴、欲飲水、水入則吐者、是五苓散之本證也、故中風發熱六七日不解而煩、有表裏之證、渴欲飲水、水入則吐者、雖云中風之本證、全然仍在、而見五苓散水逆之證、則非復中風之本證、但以內有水而使發熱表證不得解去也、治之之法、舍中風發熱、而獨治其水逆耳、獨治其水逆、則發熱表證自解去、五苓散主之也、若中風發熱六七日、其表證已解、心煩而不渴、水入則嘔、頗見表虛、而覺胸中窒塞者、梔子生薑豉湯主之也、

凡五苓散表水上逆之證、是其病在大表、而其煩是表水上逆之所致、此為實煩也、梔子豉湯之證、名之為表虛、而其煩為虛煩、其證之淺深、比之於五苓散證、其深更加三四等者也、五苓散水逆之證、頗覺胸中有物而逆之、而終不覺其窒也、而梔子豉湯之證、時亦頗覺有物而逆之、又覺胸中窒塞、是五苓散梔子豉湯之別也、故五苓散之證、猶有發熱表證者、而梔子豉湯之證、無復有發熱表證、而有有身熱者、然而發熱表證、非云是五苓散之本證、但為其病在大表、故時帶發熱表證者也、

未持脈時、病人手叉自冒心、師因教試令欬而不欬者、是必兩耳聾無聞也、所以然者、以重發

汗虚故如此。【補】凡醫之道、以脈證斷病、古今之通法也、今此章以耳聾一證斷者、粗陋不足論已、

發汗後、飲水多必喘、以水灌之亦喘、【補】喘豈唯飲水多宜、何必汗後、又以水灌病人、不知何謂、妄言已、○本自上中風發熱、通下發汗吐下後、爲一章也、後人以此一章攙入其中間、而今不可移易也、故仍舊已、

發汗後、水藥不得入口爲逆、是擧表實證、及表虚陽虚厥陰之疑似、以審明其證也、云發汗後、水藥不得入口爲逆者、發汗後、不見餘證、但水藥不得入口、以水入口則吐水、以藥入口則吐藥、是爲有物在胸中而相逆也、是有表實證、及表虚陽虚差別者也、若更發汗、必吐下不止、亦謂有陽虚厥陰之別也、吐下不止者、是厥陰也、吐不止者、是

傷寒論特解　卷之三　……撰著

病在心中也。下不止者，是陰證也。言始發汗後，不見餘證，水藥不得入口者，是有三道之疑似也。若以爲表實五苓散之證，則水與藥不得入口，而五苓散之證，但水入口則吐者也。是不然，則非復表實五苓散之證也。若以爲表虛梔子豉湯之證，則是始發汗後，而未至虛其表，非復梔子豉湯之地位也。況梔子乾薑湯之陽虛，固非其地位也。然而病應已如此，則非彼證，即此證也；非此證，即彼證也。學者當審實其證，以處其方也。故發汗後，水藥不得入口，或微見表證，則是五苓散之所主也。若發汗後，水藥不得入口，或見表虛之證，則是梔子豉湯之所主也。或微見陽虛之證，則是梔子乾薑湯之所主也。當須審實其證，以處其方也。若梔子豉湯之證，而更發汗，則必致梔子乾薑湯之陽虛也。若梔子乾薑湯之證，而更發汗，則必入厥陰，而吐不止，下亦不止者，乾薑黃芩黃連人參湯主之也。

發汗吐下後，是舉梔子豉湯之本證，以審明其地位也。其云發汗吐下後者，是明梔子豉湯證之所起、與其病毒之所在、與其地位也、是使學者先審定其本證、以應其變、而處其方也、云發汗者、明虛其表也、云下後者、明空其胃中也、云吐者、明其病毒上攻胸心中者也、故姑名爲表虛也、表虛者、謂陽虛之淺者也、故名爲表虛、以別梔子乾薑湯、及甘草乾薑湯陽虛之深證也、其實皆屬陽虛者也。

虛煩不得眠、

是明五苓散梔子豉湯兩煩之別也、五苓散之煩、是大表證而實煩也、梔子豉湯之煩、非復大表證、是陽虛之煩、而不見表證者也、然而猶時有微見表證、是梔子豉湯之變也、非復其正也、又明梔子豉湯之證、時有覺心胸中有物、而其實虛氣無物也、又明梔子豉湯之證、有覺心中虛煩者也。

若劇者、必反覆顛倒、心中懊憹、

云若劇者、必反覆顛倒、心中懊憹、而不云心中懊憹、反覆顛倒者、以明梔子豉湯之證、發汗吐下後、卒然反覆顛倒者、時亦有之、徐問其證、則心中懊憹者也、又明有其始虛煩不得眠、卒然反覆顛倒、徐問之、則心中懊憹者也、又明有其始心中懊憹、遂反覆顛倒者也。**梔子豉湯主之**、凡梔子豉湯之爲證、既虛其表、又空其胃中、因此兩虛、客氣上攻心胸中者也、非必須發汗吐下後、要欲知其爲陽虛、以正其本證也、故總梔子豉湯之證、是陽虛而客氣上攻、心胸中煩覺窒塞者也、故其證有但心中虛煩者、又有胸中窒者、又有心中懊憹者、又有心中結痛者、又有卒然反覆顛倒者、其證雖異、而其上攻心胸中、則一揆也、此梔子豉湯證之大概也。**若少氣者、梔子甘艸豉湯主之、若嘔者、梔子生薑豉湯主之**、是少氣者嘔者、皆加梔子豉湯以他證者也、少氣者、以內有梔子豉湯陽虛之證、故引他病毒於心胸中、故使其少氣、是以加甘草以和散之也、其嘔者、以內有梔子豉湯陽虛之證、故使胃氣不達、故加生薑以導之也、既發汗虛其表、又下之空其胃中、又復吐之、引客氣於心胸中、虛煩不得眠者、雖不見餘證、而是陽虛之證也、梔子豉湯主之、又發汗吐下後、虛煩不得眠、卒然反覆顛倒者、是當心中懊憹者、亦梔子豉湯主之、又發汗吐下後、心中懊憹、遂反覆顛倒者、亦梔子豉湯主之、又發汗吐下後、未見餘證、卒然反覆顛倒者、此當心中懊憹、亦梔子豉湯主之、又發汗吐下後、煩不得眠、胸中窒者亦梔子豉湯主之、又發汗吐下後、卒然反覆顛倒、心中結痛者、亦梔子豉湯主之也、若發汗吐下後虛煩不得眠、少氣者、梔子甘艸豉湯主之、又心中懊憹、反覆顛倒、少氣者、亦梔子甘艸豉湯主之、若發汗吐下後、虛煩不得眠、而嘔者、梔子生薑豉湯主之、又心中懊憹、反覆顛倒、而嘔者、亦生薑豉湯主之、

發汗若下之

是舉梔子豉湯證之變、以明水藥不得入口者、有五苓散梔子豉湯之別也、其云發汗若下之者、以明有但發其汗、而未經下之、遂見梔子豉湯陽虛之證者、又有但下之、而未經發汗、遂見梔子豉湯陽虛之證者也、是明水藥不得入口者、亦有梔子豉湯陽虛之

證也、然則當但云發汗、而必云下之者、以明下後水藥不得入口者、而有梔子豉湯之證、猶是其證爲陽虛也、此其要在欲使學者眼識五苓散梔子豉湯虛實之別、而不必拘發汗吐下也、而煩

熱胸中窒者梔子豉湯主之 言發汗而煩渴、有表裏之證、水藥不得入口者、五苓散主之也、若發汗而脈浮煩渴無表證、水藥不得入口者、亦五苓散主之也、若發汗而煩熱無表證、不渴水藥不得入口者、梔子豉湯主之、又發汗而水藥不得入口、胸中窒者、亦梔子豉湯主之、又但下之而煩熱、水藥不得入口、胸中窒者、亦梔子豉湯主之、若但發汗而煩熱、胸中窒者、亦梔子豉湯主之、又但下之而煩熱、胸中窒者、亦梔子豉湯主之也、

梔子豉湯方

梔子 十四枚　香豉 四合

右二味以水四升先煮梔子得二升半内豉煮取一升半去滓分爲二服温進一服得吐者止後服

補 梔子豉湯方後温服以下後人之所加當删去也說見下

梔子甘艸豉湯方

梔子豉湯方中更加甘艸二兩水煮與本方同法

梔子生薑豉湯方

梔子豉湯方中更加生薑五兩水煮與本方同法

傷寒五六日、大下之後、是舉傷寒大下之後、內得梔子豉湯之陽虛、而傷寒之證、欲去不能去者、以明梔子湯通變之法也、云大下之後者、以明得梔子豉湯陽虛之證也、身熱不去、非復發熱外證也、心中結痛者、以大下之故、客氣上攻心胸中也、未欲解也、謂若欲解此證、而施傷寒之治、以除其證、則雖未遽至其劇、而亦不能除、猶云其病荏苒緩延、而不喜解也、梔子豉湯主之、言傷寒五六日、大下之後、身熱不去、心中結痛者、其傷寒之證已解也、但以內有梔子豉湯陽虛之證、故身熱欲去、而不能去也、若欲施傷寒之治、以除其證、則雖未遽至其劇、而亦不能除之、猶云其病荏苒緩延、而不喜解也、是其治法當姑舍傷寒之證、以治其陽虛、則其證自去也、是陽虛之淺者、而無表熱者也、梔子豉湯主之、若大下之後、心煩腹滿、臥起不安者、是表熱入內、而見此證也、非復主陽虛、以致此證、是主表熱入內、以

見梔子心煩之證耳、梔子厚朴湯主之也、若大下之後、身熱不去、微煩者、是陽虛之深者也、梔子乾薑湯主之也、

傷寒下後、心煩腹滿、是擧淺於梔子豉湯之證一等者、以明前證梔子豉湯、及梔子厚朴湯、其證客主之別也、是梔子厚朴湯之證、以傷寒下後、表證未解、而胃中空虛、故其熱入裏、遂致心煩腹滿也、**臥起不安者、**是梔子厚朴湯以表熱入裏爲主病、而梔子之證爲客病也、而前章梔子豉湯之證、以陽虛爲主病、而其熱不能去、則此爲客病也、又以明梔子厚朴湯之證、而有併梔子豉湯之證者也、**梔子厚朴湯主之**　言、傷寒下後、心煩腹滿、臥起不安者、此表熱入裏、而遂致梔子證者也、梔子厚朴湯主之也、又傷寒下後、心中結痛腹滿、臥起不安者、是併兩證者也、梔子厚朴湯主之也、

梔子厚朴湯方

梔子十四枚　枳實四枚　厚朴四兩

右三味以水三升半煮取一升半去滓分三服溫進一服得吐者止後服

傷寒醫以丸藥大下之是舉深於梔子豉湯之證一等者以明前章梔子豉湯及梔子乾薑湯其證劇易之相反也云醫以丸藥大下者以明非其治而虛其內之深加梔子豉湯證一等者也身熱不去以明表證已解而內有陽虛之證故身熱欲去不能去者也微煩者是明其陽虛之深加梔子豉湯證一等者也何則是醫以丸藥大下之後也其煩當劇而微煩故爲陽虛之深證也是梔子豉湯之證是陽虛之淺者其證似大深者而梔子乾薑湯之

證、是陽虛之深者、其證反似淺者、是劇易反其證也、又以明此猶有帶梔子豉湯證者也、

梔子乾薑湯主之

言、傷寒、醫以丸藥大下之、身熱不去、微煩者、是其證則雖易者、而其病反劇者也、是爲陽虛之深者也、梔子乾薑湯主之、又醫以丸藥大下之、身熱不去、微煩、心中結痛者、是猶帶梔子豉湯證者也、梔子乾薑湯主之也、

梔子香豉、其主治、俱是在心胸中、而梔子主治陽虛、而心煩者、香豉治陽虛、而心胸中如有窒塞者、是二藥之別也、

以上四章、始一章、舉五苓散水逆之證、與梔子豉湯之證相疑者、又舉厥陰證與五苓散梔子豉湯之證相疑者、以辨審其別、以明五苓散陽實之煩、與梔子豉湯陽虛之煩、而辨明其證、終入梔子豉湯之證、始明其證在心中、次明其病上攻、而少氣者、次明其病益上

攻而嘔者、終明梔子豉湯證之體也、第二章、明梔子豉湯之證、仍帶表證者也、是似有表裏者也、第三章、明梔子豉湯之證在心中而其本在腹部者也、是有上下證者也、第四章、明梔子之陽虛之極、將入陰證者也、而第二章三章四章、照第一章、以明梔子香豉其用有別也

梔子乾薑湯方

梔子十四枚　乾薑二兩

右二味、以水三升半、煮取一升半、去滓、分二服、溫進一服、得吐者、止後服、

凡用梔子豉湯、病人舊微溏者、不可與服之、

〔補〕梔

子豉湯諸方、皆爲發汗吐下後所設、則溏者固無不可、而服之得吐者、亦無忌難、今此章云病人舊微溏者、不可與服、及方後得吐者止後服者、後人所加審矣、

大陽病發汗、汗出不解也、是大陽病發汗、表已解者、但以內有少陰水氣證、故使表證不得去者也、治之之法、不可以表證從事者也、其證與苓桂朮甘湯動經者相類、而其病毒與小青龍湯水氣成寒者大類、而其本則不同也、其地位、比小青龍湯更深一等、而比苓桂朮甘湯有陽表陰裏之別、苓桂朮甘湯、是純陽證而猶近表者也、此眞武湯則全是陰證水氣、而久久成裏寒者也、而其在大陽病傷寒、以發汗之故、見眞武湯之證者、其證激發、與苓桂朮甘湯動經之證、是爲同一驗據也、但苓桂朮甘湯在陽表、故名爲動經、而眞武湯在陰裏、不得名動經也、**其人仍發熱**汗出而其熱不解、故云仍也、凡眞武湯之證、名爲少陰水氣證、是陰證水氣久久成

裏寒者也其證本非有熱者故其常證則腹痛小便不利四支沈重疼痛自下利或咳或嘔或小便利而下利者也是從傷寒而來故發熱似陽證也

心下悸水氣之候也**頭眩**苓桂朮甘湯之證起則頭眩不起則止此眞武湯之證起居俱是頭眩是其證爲水氣虛候也又苓桂朮甘湯動經之證則心下逆滿氣上衝胸起則頭眩而眞武湯之證無心下逆滿之證又無氣上衝胸之證此二證者皆爲驗暴是陽證之候也有之則反爲淺無之則反爲深也

身瞤動振振欲擗地者眞武湯主之苓桂朮甘湯之證但身爲振振搖而無欲擗地之意也又身不瞤動而此眞武湯之證身已瞤動或又筋惕此二證者其水氣已深之候也又振振欲擗地者是其證亦爲水氣虛候也至其脈候則苓桂朮甘湯其脈之深沈緊而眞武湯其脈沈微或弱是苓桂朮甘眞武二湯虛實之辨也又與大青龍湯之證相似者傷寒發熱惡寒身疼痛不汗

出而煩躁者、是大青龍湯伏熱之證也、其仍有表證、而脈沈微、或弱、發熱惡寒、身疼痛、心下悸、頭眩、而煩躁者、是眞武湯之證也、而大青龍湯無心下悸頭眩、及肉瞤筋惕之證、而眞武湯則必有此二證、是大青龍眞武二湯之別也、又有與大小青龍湯之證相似者、發熱惡寒、身乍重乍輕者、是大青龍湯伏熱之候也、又發熱惡寒、身乍重乍輕、渴而咳者、是小青龍湯陽證水氣成寒者之候也、又初不發熱、但身重乾嘔咳者、今更發熱者、亦是小青龍湯陽證水氣成寒之候也、初發熱惡寒、續更四支沈重、不渴而咳者、是眞武湯少陰水氣之候也、若初四支重、而咳者、今更發熱者、非復眞武湯之證也、是亦大小青龍眞武二湯疑途之辨也、又有與小柴胡湯之證相似者、心下悸、小便不利、胸下滿者、是小柴胡湯之證也、若心下悸小便不利頭眩者、是眞武湯之證也、但小柴胡湯之證、其脈不過沈緊、而眞武湯其脈沈微、或微弱也、是小柴胡眞武二湯之別也、又有與四逆湯之證相似者、傷寒醫下之、續得下利、清穀不止、身疼痛者、此四逆湯之證也、若傷寒醫下之、續得下利、身疼痛、四支沈重、或頭眩、或瞤動者、是眞武湯之證也、此亦眞武四逆二湯之別也、故眞武湯之證、續論之、大陽病發病之時、脈微弱、發熱惡寒、身疼痛、汗出煩躁、而頭眩者、眞武湯主之、又發熱惡寒、身不疼、乍重、乍輕、而筋惕、脈微弱者、亦眞武湯主之也、大陽病傷寒、表未解、發熱嘔咳、不渴、而身瞤動、脈沈微者亦眞武湯主之、又發熱嘔咳、而小便不利、而心下悸、頭眩者、亦眞武湯主之也、大陽病傷寒、發汗、汗出不解、其人仍發熱、心下悸、頭眩、身瞤動、振振欲擗地者、眞武湯主之、又發汗、汗出不解、其人仍發熱、腹痛、小便不利、四支沈重疼痛、下利者、亦眞武湯主之也、傷寒、醫下之、續得下利、四支沈重、身疼痛者、亦眞武湯主之也、此皆眞武湯少陰水氣之本證也、

咽喉乾燥者、不可發汗、

淋家不可發汗、發汗必便血、

瘡家雖身疼痛、不可發汗、汗出則痓、

衂家不可發汗、汗出必額上陷脈急緊、直視不能眴、不得眠、

亡血家不可發汗、發汗則寒慄而振、

汗家重發汗、必恍惚心亂、小便已陰疼、與禹餘糧丸、闕

補　凡萬病之可發汗、與不可發汗、在脈證之陰陽表裏、而不可就一病一證、而固定也、豈唯發汗乎、凡百治法皆然、故本編建六部論之明矣、是此編之所以卓越於宇宙間也、今右六章、不論陰陽表裏、就一病一證、徒云不可發汗、而膠學者之心目者、方錄家之言、而不

知本編之規則也、

病人有寒、復發汗、胃中冷、必吐蚘、補必字拘泥甚、胃中冷者、大陰病之本因也、其證何必吐蚘也、

本發汗、而復下之、此爲逆也、若先發汗、治不爲逆、本先下之、而反汗之、爲逆、若先下之、治不爲逆、補論治法之先後、本編悉之、無可以加焉、此章徒云先後、而不舉脈證論之、不足取、

傷寒醫下之、續得下利、清穀不止、是傷寒表證仍在、而入少陰者也、是傷寒本病、猶未至入少陰、而醫下之、本病與誤治相協、以成虛寒、而見此少陰證也、故云傷寒醫下之、續得下利、其下利、卽清穀下利也、清穀下利、是少陰四逆之本證、而不容疑者也、身疼

痛者急當救裏今既清穀下利、而猶未止、又更身疼痛、是清穀下利既爲少陰四逆之本證、而又更身疼痛者、疑是少陰之證、而致此身疼痛者也、夫少陰證、而身疼痛者是其虛寒之至劇者也、其法將至通脈四逆域、非復緩其治者、故急當救裏、良此至劇故也、然而此證有二疑途、大傷寒表證仍在、醫又逆而下之、然後致此身疼痛則此身疼痛者、以是表證不和之故、致此疼痛、然則此疼痛猶未足深良者也、是其疑途一也、又傷寒既下之、以其下之之故、表證已解、雖則表證已解、但內有陰證之故、表證欲去而不能去也、其實是表證已解者也、此證必有眞武之疑途若其下利非復清穀下利、而心下悸頭眩身疼痛者、眞武湯之證也、或腹痛或手足沈重者、是亦眞武湯之證也、是其疑途二也、又傷寒醫下之、續得下利清穀、其下利即清穀下利、而又更身疼痛者、自其清穀下利言之、則此身疼痛似是少陰四逆之疼痛也、自傷寒外證仍在者言之、則此身疼痛似是表證不和之疼痛也、然而此身疼痛、不必問其表證與陰證、但以清穀下利、的然少陰四逆之本證、故先與四逆湯也、設令此疼痛爲陰證則固是四逆之所治也、假令爲表證疼痛、亦於其治法、當先治其陰證、而後及其表證、是所以**後身疼痛**、與四逆湯不疑也、此爲其疑途三也、

清便自調者、急當救表、此一者、以明有陰陽兩證者、其治法有先後也、一者、以明此身疼痛、其在陽證、非復深證、但其不和之故、致此身疼痛也、故與桂枝湯、以和其表、則此身疼痛自解也、非以桂枝湯爲主治身疼痛者、但以其地位、與其和表之主治與之也、可見古人之用方者、專主其地位、是其所以活用變化、不可端倪也、其云急當救表者、此身疼痛、其在陽證、雖云不劇、而承少陰虛寒之後、則或內攻將爲深憂、故云急當救表、以明少陰虛寒之後、當深愼其治方也、

救裏宜四逆湯、宜者、權宜之辭也、必爲權宜之法、此有二義也、一者、續得下利、清穀

不止、身疼痛者、或恐有眞武湯證也、但以清穀下利、爲是四逆之本證、故以權時之法、先與四逆湯、也、一者、清便自調、後身疼痛者、徒然與四逆湯、則畏表證擣虛而內攻、遂爲深憂、故用權宜之治法、以從事於表證也、

救表宜桂枝湯、

清便自調、後身疼痛者、與桂枝湯、而身疼痛不止、則恐其有眞武附子二湯之證、未得放心與桂枝湯、必當愼候其證、以施其治、不然則將引大災、亦以其承少陰證虛寒之後故也、故再用權宜之辭、使夫學者審知少陰虛寒之後、其治法最當爲愼重也、言傷寒醫下之、續得下利清穀不止、身疼痛者、是清穀下利、已爲少陰之本證、而又身疼痛者、假令少陰證、則是其劇者也、急當救裏宜四逆湯也、若醫下之、續得下利、其下利非清穀下利、而身疼痛、心下悸頭眩者、此少陰之水氣證也、眞武湯主之、若醫下之、續得下利、腹痛、手足沈重、身疼痛者、亦眞武湯主之也、傷寒醫下之、續得下利清穀不止、身疼痛者、旣與四逆湯、清便自調、後身仍

疼痛者、是其表不和故也、急當救表、宜桂枝湯、既與桂枝湯後身仍疼痛者、非復表證不和、是猶在少陰也、若身疼痛手足寒、脈沈者、附子湯主之、若身疼痛、肉瞤筋惕、或下利者、眞武湯主之也、

以上二章、承上梔子豉湯陽虛之證、與五苓散表水之證、以明陰證之別也、始一章、明少陰水氣之證也、終一章、明少陰虛寒之極、以結前七章之終也、

右八章、通爲一大段、而分爲三節、始二章、明表水上攻騷擾之別、中四章、前一章、明陽證虛實之順、而辨入厥陰證者也、後三章、一章明陽虛之證、以辨梔子香豉之別、而及陽虛之極、將入陰證者也、終二章、明少陰水氣之證、與少陰虛寒之極也、此八章次序之義也、

病發熱頭痛、脈反沈、若不差、身體疼痛、當救其裏、宜四逆湯、

補 發熱頭痛、脈反沈、而不下利者、麻黃附子細辛湯證也、而此章云

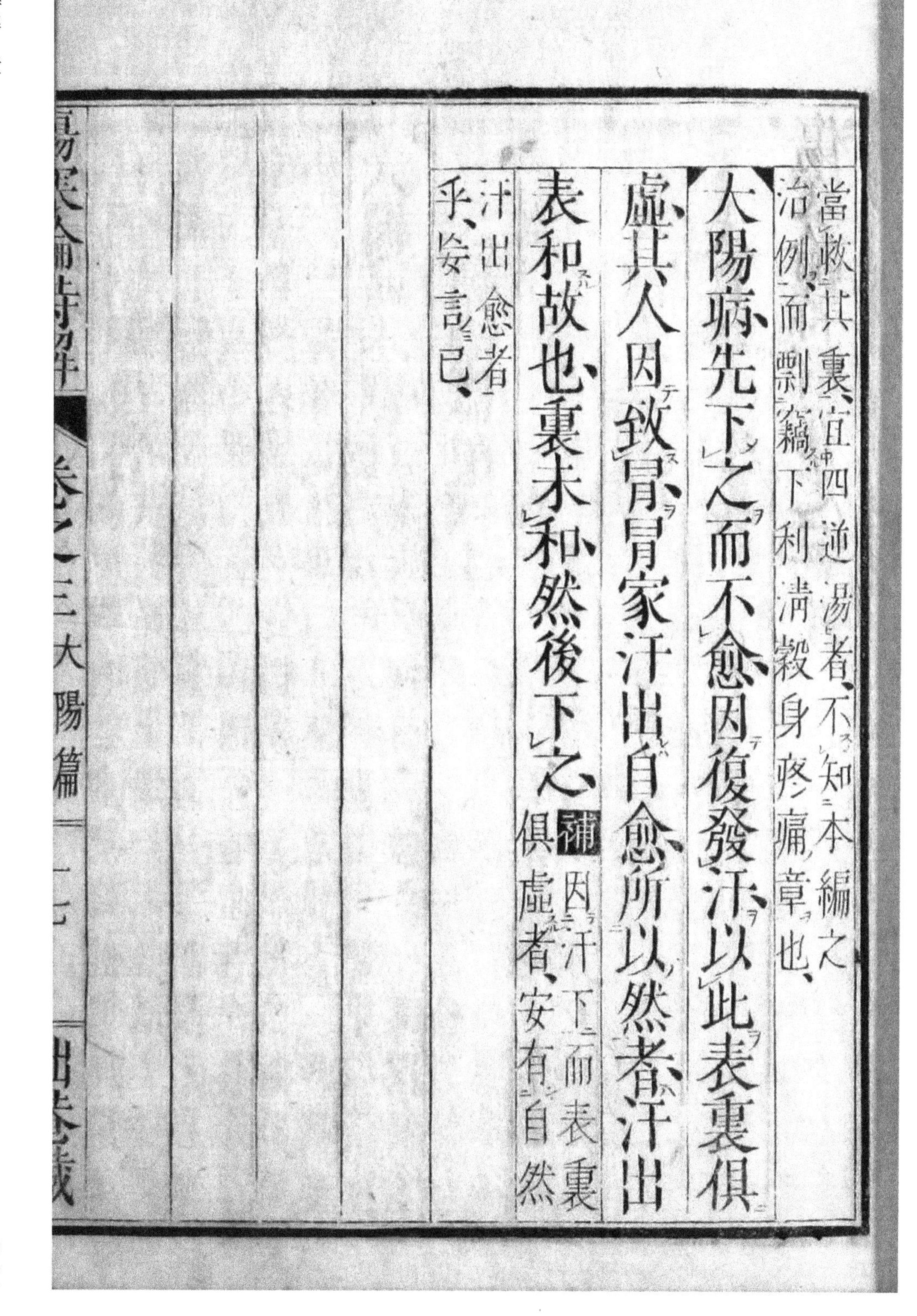
當救其裏、宜四逆湯者、不知本編之治例、而剽竊下利清穀身疼痛章也、

太陽病先下之而不愈因復發汗以此表裏俱虛其人因致冒冒家汗出自愈所以然者汗出表和故也裏未和然後下之

補 因汗下而表裏俱虛者、安有自然汗出愈者乎、妄言已、

傷寒論特解卷之三

傷寒論特解卷之四上

大日本　安藝　靜齋先生著
門人　尾張　淺野徽元甫　補註
弟子　富田肥大順　校正

太陽病篇第四上

太陽病未解　此舉太陽病易者始及小柴胡湯之地位而其脈陰陽始俱變也以先明小柴胡湯證之地位所在及其脈變也云太陽病未解者是太陽病易者始及小柴胡湯之地位而猶未全具小柴胡湯之證而解者也若全具小柴胡湯之證則必須藥其證而後解不然則未喜解也

陰陽脈俱停　是其初陰陽脈俱不和而今始陰陽脈俱停者也其初陰陽脈俱不

和者、是其病始及小柴胡湯之地位也、而但未見小柴胡湯之證而解耳、故其病必先振慄汗出而解也、**必先振慄汗出而解、**振慄汗出而解者、雖云與他藥而解、此其病則始及小柴胡湯之地位之徵也、故凡病服小柴胡湯振慄汗出而解者、是非小柴胡湯之所爲也、是地位之事也、故其病苟及小柴胡湯之地位、則雖不服小柴胡湯、而必先振慄汗出而解也、故此章云大陽病未解、陰陽脈俱停者、是大陽病始及小柴胡湯之地位、猶未全小柴胡湯之證、而不及與小柴胡湯而解也、故此章云陰陽脈俱停者、此欲以明其病始及小柴胡湯之地位、而陰陽脈始俱變也、**但陽脈微者、先汗出而解、**若邪仍在表、則其法必當陽脈浮大也、今但陽脈微、而陰脈和者、是但其表未和耳、故但陽脈微也、表和則愈、故先汗出而解也、是其病在表、而未及小柴胡湯之地位者也、**但陰脈微者、下之而解、**是其陽脈已和、而但陰脈微者、是其表已解、故陽脈已和、但裏仍未和、故使陰脈微也、若表未和者、汗出而自解、若裏未和者、非藥之則不解、此淺深之別也、故少下之、以和其裏、而後始解也、是其在裏之地位、與小柴胡湯同、而其病則易者也、若陽脈已微、而陰脈又微者、此表裏俱有所不利和也、此法、當有小柴胡湯之證也、何則小柴胡湯之證、上焦不利和、而鬱鬱微煩、或鬱鬱不欲飲食、故使其脈陰陽俱微也、此其法當就其見證、以審識是爲小柴胡湯之地位、然後引之於此脈狀、而後處其方者也、故下文云宜、以使學者自心識小柴胡湯之證、其初有此疑途也、此須學者之心識眼識者也、故不的然說之、而微擧其法、亦唯在學者之所意悟也、

若欲下之、宜調胃承氣湯、

宜者、權時之言也、但陰脈微而無餘證者、的然調胃承氣湯之證也、然而陰脈微者、其脈非淺已、與調胃承氣湯、而其脈仍不和、或見餘證者、非復調胃承氣湯之證、當隨證而治之、然而此其後證、大抵不出大

小柴胡湯之證者也。故作權時之言，以示其義也。言太陽病未解，陰陽脈俱不和，或見柴胡一證者，宜小柴胡湯也。若但陽脈微者，是不更須藥之，必先汗出而解也。若但陰脈微者，是裏未和者也。非藥之則不解，與調胃承氣湯下之則愈也。若陰陽俱微，或嘔，或鬱鬱微煩，或嘿嘿不欲飲食者，但見此一證耳。雖不見餘證，當與小柴胡湯也。若陽脈已和，但陰脈微者，既與調胃承氣湯，其脈未和，更見餘證者，當隨其證而治之也。然而是其後證，大氏不出大小柴胡湯之證者也。此學者之所當知者也。

太陽病，發熱汗出者，此爲榮弱衛強，故使汗出，欲救邪風者，宜桂枝湯。補以榮衛論證因，及云邪風者，非本編之例也。

傷寒五六日，中風，是舉小柴胡湯之地位，及其證之經緯與變也。先明小柴胡湯之地位與其證之本起者凡二道焉小柴胡湯之地位其表證入裏之日數在一經之半則亦非其入裏之深者亦非其在表之淺者大抵在其中間是小柴胡湯之地位也即一道也其證之所本起者其證則雖或見其熱或不見其熱而其病之所本起者主在其熱入裏是小柴胡湯證之所本起也即其一道也故其爲經證者四焉往來寒熱一也表有熱二也表不見其熱者三也身有微熱者四也其爲緯證者五焉胸脇苦滿一也嘿嘿不欲飲食二也心胸中煩而嘔三也渴四也咳五也其爲變證者五焉心胸中煩而不嘔一也腹中漫痛二也胸下痞鞕三也心下悸小便不利四也身有熱而不渴五也是小柴胡湯證之概數也其明小柴胡湯之地位與其證之所本起者此云傷寒五六日中風者言傷寒其證本劇故其熱之入裏大抵五六日而既及小柴胡湯之地位也若其中風大抵七八日若八九日而始及小柴胡湯之地位以中風其證本易故也是明小柴胡湯之地位者

也又既云傷寒又云中風是明小柴胡湯之所本起者主在其熱入裏者也

往來寒熱

是小柴胡湯之本證也夫小柴胡湯證之所本起者主在其熱入裏則熱是爲其經也故始云往來寒熱是爲其熱入裏之候也而其次乃云胸脇苦滿嘿嘿不欲飲食心煩喜嘔又其次云胸中煩而不嘔此云胸中煩以合上之胸脇苦滿又云煩而不嘔以合上之心煩喜嘔而冠此二者以往來寒熱是往來寒熱爲經證而胸脇苦滿嘿嘿不欲飲食心煩喜嘔爲其緯證又往來寒熱爲經證而胸中煩而不嘔又爲其緯證又往來寒熱爲經證而渇及咳者又爲其緯證又往來寒熱爲經證而腹中痛胸下痞鞕心下悸小便不利爲其變證也又上云或渇而下云或不渇身有微熱是下云或不渇身有微熱者以照上渇者以明上渇者是表不見其熱者也此以下明上者也又上擧往來寒熱其熱入裏者以冠胸脇苦滿嘿嘿不欲飲食心煩喜嘔以照下或胸中煩而不嘔者以明此下胸中

煩而不嘔者、時或有其表有熱者也、是以上明下者也、而不明舉其表有熱、及其表不見熱者往來寒熱、是爲小柴胡湯之主證、而表有熱者、及其表不見熱者、俱是爲容證、俱是有疑途故也、故不明舉而欲使學者意悟也、其身有微熱者、雖是有疑途者、猶與小柴胡湯之本證相近、故明舉之、以別上之表有熱者、及其表不見熱者、欲使學者出奇無窮也、渴咳及身有微熱者、或爲經證或爲緯證而寓之於諸或變證中者、此二證者皆是與他諸湯之證有疑途故也、故雖爲經緯之證、而寓之於變證之中也、凡往來寒熱、嘿嘿不欲飲食、心煩喜嘔者、小柴胡湯之本證、而是無疑途者也、其或渴、或腹中痛、或脇下痞鞕、或心下悸、小便不利、或不渴身有微熱、或咳者、小柴胡湯之證、而與他諸湯之證有疑途者也、

胸脇苦滿、胸脇中及脇下、覺滿而苦悶也、滿而云苦、其滿之悶、不可說也、而非成形狀者也、

默默不欲飲食、小柴胡湯證、其病在上焦、故不欲受飲食

也、心煩喜嘔、其煩但在心中、不甚博也、或胸中煩而不嘔、其煩甚博、而心胸俱煩也、此云胸中、以應上文之首胸脇、又云不嘔、以應上文之尾、心煩喜嘔、以明往來寒熱而具此上之一證者、是小柴胡湯之證而不疑也、又以明有胸脇苦滿、嘿嘿不欲飲食、心煩喜嘔、三證皆具者也、又以明無心煩喜嘔以上之三證而有但心胸中煩者也、又凡云或者、欲使學者適識其要之所歸之辭也、又分岐之辭也、故此云或者、凡有三義、一則云或者、猶云亦有如此者、亦有如此者也、以明小柴胡湯之證、其變亦有如此者、亦有如此者、其途逕雖多、而審其要之所歸、以適識其病所在之地位、則其病變雖云千萬、而無所容疑、確然可以處其方、故擧其經證、又擧其緯證、又擧其變證、欲使學者錯綜通觀、以適識其病所在之地位、莫惑末岐愈變愈多、而活用其方也、故云或者、欲莫惑末岐、而適識其要之所歸之辭也、二則明就此小柴胡湯之證、有特者、有條者也、三則明小柴胡湯之證、而與他諸湯之證有疑途者也、故云或者、分岐之辭也、**或渴**、是云或渴者、有往來寒熱、而具胸脇苦滿心煩喜嘔之二證、以渴者也、又有往來寒熱、而但具一證、以渴者也、又有表有熱、而具上之三證、而渴者也、又有表有熱、而具上之一證、以渴者也、又有表無寒熱、具上之三證、以渴者也、又有表無寒熱、具上之一證、以渴者也、是其表無寒熱、具上之一證、以渴者、是有疑途者也、必須心識眼識其正證、故下皆舉有疑途者、欲使學者不眩其疑途、而心識眼識其正證之所在、以處其方也、故此云或渴者、使其文不干渉於上之數證也、故要其端也、**或腹中痛**、云腹中痛者、其痛不與云腹痛同也、是腹中漫痛者也、與小建中湯急痛者、其狀相反也、故下文舉建中湯、以明此腹中痛之別也、此云或腹中痛者、主承上文之渴、而傍及上文往來寒熱以下四證也、故云或也、以明表無熱腹中漫痛而渴者、雖不見他證、而併見此兩證、則可見其熱在上焦者、是小柴胡湯之地位也而更見深證故決然以與小柴胡湯也若有此二證而微見心胸中煩或微見胸下痞滿則是益可者也若心胸中煩而不嘔而渴腹中急痛者是小建中湯之證也故上云胸中煩而不嘔下云脇下痞鞕以明有此二義也若往來寒熱胸脇苦滿而腹中漫痛者若往來寒熱嘿嘿不欲飲食而腹中漫痛者若往來寒熱心煩喜嘔而腹中漫痛者皆是小柴胡湯之正證而不須疑者也若表有熱胸中煩而不嘔腹中漫痛而渴者亦是小柴胡湯之證而不須疑者也**或脇下痞鞕**是包心下痞鞕言之也而不云心下痞鞕者避大陷胸湯及半夏瀉心湯之證也若心下滿而鞕痛其痛劇而不可近者大陷胸湯之證也但滿而不痛者半夏瀉心湯之證也若心下滿按之漫痛者是小柴胡湯之證也是須心識眼識其正證者也若心下滿按之漫痛而渴或嘔者小柴胡湯之正證也若表無熱脇下痞鞕而渴或嘔者亦是小柴胡湯之正證也若往來寒熱脇下

痞鞕、嘿嘿不欲飲食者、亦是小柴胡湯之正證也、若表有熱脇下痞鞕、而渴、或嘔者、亦是小柴胡湯之正證也、包此衆義、故亦云或也、**或心下悸、小便不利、**是承上文渴而無熱者、而包往來寒熱、及表有熱者也、以明小青龍湯及小建中湯之疑途也、夫表無熱而渴、心下悸、小便不利者、雖表不見熱、而是熱攻上焦也、是小柴胡湯之正證也、若渴而少腹滿小便不利者、是病在下部而上攻也、是小青龍湯水氣之證也、心中悸、而煩於心下、脇下無所病者、其證比小柴胡湯證、頗似易證、是病在腹中、而其氣上衝也、是小建中湯之證也、若往來寒熱、心下悸、小便不利者、是小柴胡湯之證也、若表有熱、嘿嘿不欲飲食、心下悸、小便不利者、亦是小柴胡湯之證也、若脇下痞、心下悸、小便不利者、亦是小柴胡湯之證也、若胸脇滿、心下悸、小便不利者、亦是小柴胡湯之證也、若表無熱、心下悸、小便不利、而**或不渴、身有微熱、**嘔者、亦是小柴胡湯之證也、解見上、或咳者、是有小柴胡湯及小青龍湯之疑途者也、又小柴胡湯之證而有多端者也、凡小柴胡湯之證、以表熱入裏爲其本起、而其病在上焦者也、其於下部無所干涉者也、凡小青龍湯之證、以水氣成寒爲其本起、而其病在下部而攻上焦者也、故凡病表有熱、心胸煩喜嘔、渴而咳者、是小柴胡湯之證也、發熱乾嘔、渴而咳者、是小青龍湯之證也、凡小青龍湯之喜嘔者、動欲嘔、而其嘔似欲出食者也、凡小柴胡湯之證、其病在上焦、而不欲受食者也、其表有熱者、亦非所謂發熱者也、何則小柴胡湯之證、表熱已入裏者之故也、凡小青龍湯之乾嘔者、數嘔而不出食者也、是但水氣上攻之所致也、其發熱者、突然發熱者也、是小柴胡小青龍二湯之辨也、又表無熱、心下悸、小便不利、不渴而咳、或渴者、是小柴胡湯之證也、表無熱、少腹滿、小便不利、不渴而咳、或渴者、是小青龍之證也、是亦小青龍小柴胡二湯之辨也、凡小柴胡湯證而咳者、其途有多端、或有往來寒熱、而咳者、或有表有熱而咳者、或有表無熱而咳者、或有身有微熱而咳者、其要在心下識眼識以表熱入裏、爲之本起也、故往來寒熱、脇胸苦滿而咳者、是小柴胡湯之證也、往來寒熱、嘿嘿不欲飲食而咳者、小柴胡湯之證也、往來寒熱、腹中漫痛而咳者、亦小柴胡湯之證也、往來寒熱、心脇下痞鞕而咳者、亦小柴胡湯之證也、若其表有熱、胸脇苦滿而咳者、是亦小柴胡湯之證也、表有熱嘿嘿不欲飲食而咳者、亦是小柴胡湯之證也、表有熱腹中漫痛而咳者、亦是小柴胡湯之證也、表有熱心脇下痞鞕而咳者、亦是小柴胡湯之證也、若其表無熱而渴胸脇苦滿而咳者、是亦小柴胡湯之證也、表無熱而渴、嘿嘿不欲飲食而咳者、又亦小柴胡湯之證也、表無熱而渴心下痞鞕者、又亦小柴胡湯之證也、若身有微熱而不渴、胸脇苦滿而咳者、是亦小柴胡湯之所主也、身有微熱而不渴嘿嘿不欲飲食而咳者、亦是小柴胡湯之所主也、身有微熱而不渴、腹中漫痛而咳者、亦是小柴胡湯之所

主也、身有微熱、而不渴、心脇下痞鞕、而咳者、亦是小柴胡之所主也、小柴胡湯主之、

主者、適然、主一之辭也、凡傷寒中風、往來寒熱、若表有熱、若無熱、若身有微熱、胸脇苦滿、嘿嘿不欲飲食、心煩喜嘔、或渴或不渴、或咳或不咳、或嘔或不嘔、腹中漫痛、心脇下痞鞕、心下悸、小便不利、或見此二證、或見此三證、適然心識眼識、爲小柴胡湯之證、則決然主之、不可復疑也、

小柴胡湯方

柴胡半斤　黄芩三兩　人參三兩　甘草三兩

半夏半升　生薑三兩　大棗十二枚

右七味、以水一斗二升、煮取六升、去滓、再煎取三升、溫服一升、日三服、加減法、若胸中煩、而不嘔、去

半夏人參加括蔞實一枚若渴者去半夏加人參合前成四兩半括蔞根四兩若腹中痛者去黄芩加芍藥三兩若脇下痞鞕去大棗加牡蠣四兩若心下悸小便不利者去黄芩加茯苓四兩若不渴外有微熱者去人參加桂枝三兩温覆取微汗愈若欬者去人參大棗生薑加五味子半升乾薑二兩補方後加減出於後人者也説見于上

血弱氣盡腠理開邪氣因入與正氣相搏結於脇下正邪分爭往來寒熱休作有時黙黙不欲

飲食藏府相連、其痛必下、邪高痛下、故使嘔也、

小柴胡湯主之、【補】是上小柴胡湯之註脚、混于正文也、

服柴胡湯已渴者、屬陽明也、以法治之、【補】渴者、小柴胡湯之本證也、故本編云手足溫而渴者、小柴胡湯主之、而今云屬陽明者、不知本編之治例也、

得病六七日、脈遲浮弱、惡風寒、手足溫、醫二三下之、不能食、而脇下滿痛、面目及身黃、頸項強、小便黃者、與柴胡湯、後必下重、本渴飲水而嘔者、柴胡湯不中與也、食穀者噦、【補】此章條理混淆、不可知證因之所在也、

傷寒四五日、是舉小柴胡湯與白虎湯之疑似也、而傍及葛根湯之疑似也、然此三湯者、其地位大不同也、葛根湯其地位最在表、而小柴胡湯其地位在半表半裏、於白虎湯則其地位已在陰陽交也、而其證則反有相疑似者、此學者之所當審識其辨者也、故舉此章以示之也、上章舉小柴胡湯之正證、而此章舉小柴胡湯之變證也、上章傷寒往來寒熱、胸脇苦滿以下、皆是小柴胡湯之正證地位、其病皆在裏者、而此章所謂半表半裏之疑似、而其地位始及小柴胡湯者也、夫葛根湯其證全在表、而非與小柴胡湯白虎湯比之其地位者也、然其證則有小柴胡白虎湯相疑似者也、小柴胡湯其證在半表半裏、而表熱入裏、及於小柴胡湯之地位也、於白虎湯其證非云表熱入裏、是表證內攻、而其熱結於裏者也、又上章云五六日者、明小柴胡湯之正、其證在裏、而比之於此章之證、其病易而緩者也、而此章反云四五日者、以明其證在表者仍多、而始及於小柴胡湯之地位也、雖云其證在表者仍多、而其病則大劇而急者也、故上章云五六日、而此章云四五日、以明此義也。**身熱惡風**、身熱則其熱已入裏者也、惡風則其證猶在表也、此二證者、白虎湯小柴胡湯之疑途也、若其葛根湯則非復身熱、必是發熱惡風而頸項強者也。**頸項強**、是葛根湯之證而在外者也、若白虎湯證則無有此證也。**脇下滿**、是小柴胡湯之正證也、**手足溫而渴者**、是小柴胡湯之正證也、小柴胡湯之證、但表熱入裏者也、故其手足溫而渴者也、白虎湯之證、則其熱結於內者也、其熱結於內、故其證或手足冷而渴者也、手足冷而渴者、其熱結於內之徵也、故云手足溫而渴者、是審小柴胡白虎湯之別也、若不然者、手足溫者、非是其證、不可云手足溫而渴也、但欲明審小柴胡白虎湯之渴、故云爾也、若然則白虎湯證、何以不云手足冷而渴、此非復常然之證、故也、故以小柴胡湯、以明白虎湯之證也、**小柴胡湯主**

之言傷寒四五日、發熱惡風、頸項強、脇腹滿而不渴者、是其病猶淺、葛根湯主之也、若傷寒四五日、身熱惡風、頸項強、脇下滿、手足溫而渴者、是其病在半表半裏、小柴胡湯主之也、若身熱惡風、心胸滿、手足冷、而渴者、是其熱結於內、白虎湯主之、若身熱惡風、頸項強、手足溫而渴者、是其病表裏俱在、而其熱結於內、亦白虎湯主之也、

傷寒 是舉小柴胡湯之地位、而其脈證猶是小建中湯者也、以辨小柴胡湯之疑似、而明小建中湯之變證也、此謂傷寒五六日若六七日而見此證候者也、而承上章小柴胡湯傷寒四五日若五六日者、故不云四五日五六日者、一則因上文小柴胡湯略之也、二則為小建中湯客其地位故、不云四五日五六日也、凡小建中湯之證、其表熱不劇者也、而小柴胡湯之證、其表熱頗有根據者也、故此章小建中之證云傷寒者、以明其表熱仍在而不劇也、

陽脈澁 以明其表熱澁滯而

不能自發者也陰脈弦弦非邪脈而緊深邪之脈也法當腹中急痛者
言但陽脈澁陰脈弦而腹中未急痛者也先與小建中湯不差者與小
柴胡湯凡小建中湯之證總而言之其表熱本不劇而表氣澁滯以此之故其表邪入裏以
成微寒者也微寒法當腹中急痛者也而小建中
湯之異於小柴胡湯之證者小建中湯其證表邪
入裏者也小柴胡湯表熱入裏者也故小建中湯
主邪寒而小柴胡湯主邪熱者也言其淺深則小
建中湯淺而小柴胡湯深若其脈候則小建中湯
其脈陰陽各異而小柴胡湯之於邪熱亦其脈陰
陽始異者也是其脈弦緊雖有異而陰陽各別則
小建中湯小柴胡湯俱是同一也故此傷寒五六
日若四五日其表熱不劇而陽脈澁陰脈弦雖未
見腹中急痛是於法當腹中急痛者也夫陽脈澁
陰脈弦其表熱不劇於法當腹中急痛者是小建
中湯之正證也傷寒四五日若五六日而其地位

則雖同於小柴胡湯姑隨其見證先與小建中湯也既與小建中湯而仍不愈者與小柴胡湯也何以之故夫傷寒四五日若五六日是其邪之淺深正當小柴胡湯之地位也其表熱不劇者此似小柴胡湯表熱入裏者也其陽脈澁陰脈弦是似小柴胡湯其脈陰陽始異者又未見腹中急痛之證故先與小建中湯而仍不愈者與小柴胡湯也是言傷寒二三日其表熱不劇陽脈澁陰脈弦腹中急痛者是其地位小建中湯之正而其證亦小建中湯之正也小建中湯主之又傷寒四五日若五六日其表熱不劇陽脈澁陰脈弦雖未見腹中急痛此於法當腹中急痛者也故先與小建中湯而仍不愈者與小柴胡湯也又傷寒四五日若五六日其表熱不劇陽脈澁陰脈緊腹中急痛者先與小建中湯以治腹中急痛而仍他證不罷者與小柴胡湯也

小建中湯方

桂枝三兩　甘艸三兩　大棗十二枚

芍藥六兩　生薑三兩　膠飴一升

右六味以水七升煮取三升去滓內膠飴更上微火消解溫服一升日三服嘔家不可用建中湯以甜故也

補嘔家以下後人之所加當刪去也

傷寒中風有柴胡證但見一證便是不必悉具

補凡處治法之道的確本證則固不必諸證悉具又雖傍證百出亦不必拘焉本編所論列皆然今此章於柴胡證特言之者不知治法之大體也且鹵莽徒不的確本證但就一證用柴胡湯則其害不可料也

凡柴胡湯病證而下之、若柴胡證不罷者、復與柴胡湯、必蒸蒸而振、却發熱汗出而解、補剽竊柴胡湯章者不足取、

傷寒二三日、是擧小建中湯地位之正、而其證則疑於小柴胡湯者也、故此云二三日者、以明小建中湯之正地位也、傷寒四五日若五六日、脈陰陽始異、而腹中漫痛、心下悸、胸中煩者、是小柴胡湯之正地位而正證也、傷寒二三日、脈陰陽始異、而腹中急痛、心中主悸而煩次之、小建中湯之正地位而正證也、心中悸而煩者、是明疑於小柴胡湯之證、而猶是小建中湯之證也、是心中悸而煩者、此主悸而煩次之者也、其悸劇而其煩易者也、而小柴胡湯之證、主煩而悸次之者、是小建中湯之證、其表熱不劇者、而表氣澁滯入裏成微寒、其邪在腹中、而其氣上衝、

故致心中悸而煩者也此章但云傷寒心中悸而煩而不舉餘證者一則以明傷寒二三日前章之證而其心中悸而煩者是小建中湯之正地位正證而無所疑者也一則以明傷寒二三日如小柴胡湯之證腹中漫痛心中悸而煩者雖是似小柴胡湯之證而其治法則先與小建中湯不差者而後始與小柴胡湯也

小建中湯主之

言傷寒二三日陽脈澁陰脈弦心中悸而煩者小建中湯主之傷寒二三日腹中急痛心中悸而煩者亦小建中湯主之也傷寒二三日脈陰陽始異腹中漫痛心中悸而劇煩者先與小建中湯既與小建中湯仍不差者小柴胡湯主之也

補　右正文五章始一章舉太陽病脈狀變者以明其證始及小柴胡湯之地位也次一章舉小柴胡湯之本證以明其正地位也次一章舉表帶葛根之證裏帶白虎之證者以明小柴胡湯之疑似也次一章舉陰陽脈異者以明小建中湯與小柴胡湯之疑似也終一

章擧小建中湯之正證以明小柴胡湯之正證也

大陽病過經十餘日　是擧大陽病其地位既是大柴胡湯之地位而其證仍是小柴胡湯之證者以明大小柴胡湯疑途之別也凡小柴胡之證表證仍在而其熱入裏者也凡大柴胡之證表證已解而内有實熱者也是二湯之大別也而今此章云大陽病過經十餘日反二三下之後四五日柴胡證仍在者先與小柴胡湯者此明其證則皆小柴胡湯之證而其地位獨爲大柴胡湯之地位也云嘔不止心下急鬱鬱微煩者此擧初見大柴胡湯之一證者以照之其地位以爲審識其爲的然之法故其下云爲未解也與大柴胡湯下之則愈也云過經十餘日者是擧大柴胡湯之地位也必云過經者以明大柴胡湯之證表證已解而其裏熱仍在者也

反二三下之　是擧過經十餘日外證猶未解者以明大小柴胡湯之別也外證未解而下之故云反也

二三下之、過經十四日之內、以餘藥二三下之也、**後四五日、**以明其表證已解、頗見大柴胡之證者、二三下之、雖不得其治而以下之故、有得其愈者、故其問容二三日、以觀其治否也、又以明大柴胡湯之證、而有表證未解者也、是雖表證已解、而但內有大柴胡湯之證、以此之故、表證不得去也、是與大柴胡湯下之、則表裏俱解也、是大柴胡湯證之變也、是其治法、先與小柴胡湯、然後其表證則雖未解、而猶與大柴胡湯也、故大柴胡湯之證、以無表證爲正者也、其有表證者、是大柴胡湯之變也、**柴胡證仍在者、**表證仍在、而嘔、心下滿、鬱鬱微煩者也、此其病之地位、雖至大柴胡湯之地位、而其證仍小柴胡湯之證、又有表證、故先與小柴胡湯也、**先與小柴胡湯、**以明是大柴胡湯之地位、而其證仍爲小柴胡湯之證、而表證仍在之故、其治方、先與小柴胡湯也、不然、其地位已爲大柴胡湯也、云先者、終當與大柴胡湯、而後得其愈也、**嘔不**

止心下急鬱鬱微煩者、云嘔不止者、仍有表證而嘔、鬱鬱微煩、既與小柴胡則當愈也、今嘔不止、鬱鬱微煩、又加心下急、是大柴胡湯之證也、何則心下急、是有實者也、故餘證雖仍似小柴胡湯之證、而先與小柴胡湯、而不解、又見心下急、故指爲大柴胡湯之的證也、凡心下之證、大小柴胡湯之別、心下滿者小柴胡湯之證也、心下急者、大柴胡湯之證也、心下滿者、但熱入其裏者也、心下急者、既是裏有實也、是大小柴胡湯心下證之別也、**爲未解也、與大柴胡下之則愈**、是審其爲的然之辭也、言始猶有小柴胡湯之疑途、而今則的然大柴胡湯之證、而無復餘疑也、故與大柴胡湯下之則愈也、云與之而不云主之者、是以大小柴胡湯之疑途之故、云與而不云主之也、云下之則愈者、云下之者、以明其有實也、云則愈者、言雖有表證及餘證、皆是內有大柴胡湯證之故、使表證及餘證不得解去也、不足復有所疑矣、但與大柴胡湯

傷寒論特解　卷之四　大陽篇　十四

下之則表證餘證皆愈也言太陽病過經十餘日其表不解反二三下之後四五日表證仍在而嘔心下急鬱鬱微煩者先與小柴胡湯以解其表既與小柴胡湯表證仍在嘔不止鬱鬱微煩更見心下急者是其表已解也但爲內有大柴胡湯證其表證不能去也與大柴胡湯下之則表裏俱解也又太陽病過經十餘日表證仍在而嘔心下急鬱鬱微煩者是其地位已是大柴胡湯之地位而其證亦頗見大柴胡湯證是雖表證仍在而大柴胡湯主之也又太陽病過經十餘日表證已解嘔不止心下滿鬱鬱微煩者是其於治法先與小柴胡湯也既與小柴胡湯嘔不止心下滿鬱鬱微煩者是其證雖爲小柴胡湯之正而其地位入全在大柴胡湯故遂與大柴胡湯主之也

大柴胡湯方

柴胡半斤　黃芩三兩　芍藥三兩　半夏半升

生薑五兩　枳實四枚　大棗十二枚

右七味，以水一斗二升，煮取六升，去滓，再煎，溫服一升，日三服。一方用大黃二兩，若不加大黃，恐不爲大柴胡湯也。

補　據論中云用大柴胡湯下之，則有大黃無可疑也。乃知七味必八味誤矣。一方以下，後人之所加，當刪去也。

傷寒十三日不解，是舉傷寒大小柴胡湯前後之用，順其逆治，明非獨不諳治奪證，反引進其病也。傷寒十二日，是爲六經一周，於法外證當解者也。而過經十三日不解，以非其治之故，外證欲解，而使之不能解也。胸脇滿而嘔，是其爲證，雖在小柴胡湯之位，而大柴胡湯之證，亦時有之，要在視其所帶之證如何耳。胸脇滿嘔而帶外證者，小柴胡湯之所主也。胸脇滿嘔而帶日晡所潮熱者、是大柴胡湯之所主也、**日晡所發潮熱、已而微利、**是猶云傷寒十三日不解、胸脇滿而嘔、日晡所發潮熱者、是其證不可利者也、今乃發潮熱、已而微利者、是當有他故、診此證之法、不當輕過也、若無他故、而見此證者、非復大小柴胡湯之證也、**此本柴胡證、下之而不得利、**若有他故、而見此證者、是其證本大小柴胡之證兩備者也、法當先與小柴胡湯、以解其外、然後以大柴胡湯下之也、而醫直與大柴胡湯下之、是以其上有小柴胡湯證之故、雖與大柴胡湯下之、而不得利也、言湯藥雖云的中其證、苟失其所用之處、則不能奏其効也、**今反利者、知醫以丸藥下之、非其治也、**外證仍在、胸脇滿而嘔、日晡所發潮熱者、是其證本不利者也、而今微利、故云反也、又大小柴胡證兩備者、不先與小柴胡湯、以解其外、則雖以大柴胡湯下之、而不得利者也、而今微利、故亦云反也。是言本大小柴胡之證兩備，而醫以大柴胡湯下之，而不得利也。以大柴胡湯下之，而不得利，則醫更以丸藥下之也。是非其治也。既非其治，故雖云下之，而不能除去其證，反更致其利也。以言既是當下之證，而大小柴胡苟失其用之先後，則不能得其利也。大柴胡湯亦下之也，丸藥亦下之也。苟非其治，則不能除去其病也。潮熱者實也。先故下之之道雖一，而其用各異也。

宜服小柴胡湯以解外，後以柴胡加芒硝湯主之。

是猶云潮熱者實也。是非小柴胡湯之證，亦非大柴胡湯之正也。言傷寒十三日，表證仍不解，胸脇滿而嘔，日晡所發潮熱，已而微利者，此本大小柴胡之證兩備，醫不先與小柴胡湯以解其外，而直與大柴胡湯下之，然而以其上有小柴胡湯證之故，不能得其利也，以不能得其利之故，醫更以丸藥下之也，不先與小柴胡湯以解其外，而直與大柴胡湯下之，既非其治也，既與大柴胡湯，而不能得其利更以丸藥下之是亦非其治也夫表證仍不解胸脇滿而嘔是小柴胡湯之證也潮熱實也內有其實物也是非小柴胡湯之證亦非大柴胡湯之正也故先宜服小柴胡湯以解外而後以大柴胡加芒硝湯主之也若其微利雖非內有實物之候以非其治之故致此微利則其餘證既解則此微利亦不隨之以解也故治之之法不問其微利而先治其本證也若表證仍不解胸脇滿而嘔心下急鬱鬱微煩者亦先宜服小柴胡湯以解外後以大柴胡湯主之也若表證仍不解胸脇滿而嘔讝語者亦宜服小柴胡湯以解外後以大柴胡湯主之也若但日晡所發潮熱已而微利者大小承氣湯之所主也

凡小柴胡湯之證表證仍在而內胸脇滿嘔者也大柴胡湯之證表證已解而內有熱實而無其實物也大柴胡加芒硝湯之證表證已解而內有熱實又有其實物者也凡承氣湯之證表證已解而

內無熱實、但有其實物者也、今此證者、表證仍在、而內有胸脇滿嘔、故先宜服小柴胡湯以解外、而後大柴胡加芒硝湯主之也、

柴胡加芒硝湯方

大柴胡湯方中加芒硝六兩水煮與本方同法

補宋板成本、俱以小柴胡湯加芒硝也、然按主證、則當以大柴胡湯加芒硝也、故今改焉、下柴胡加桂枝湯並同、

傷寒十三日不解是舉傷寒表證不解、不經小柴胡湯之證、而直入大柴胡湯之證者也、以辨讝語有熱實內實之別也、古者以十二日為周一經、是表證當解之候也、過此以往、皆為過經也、過經法語也、凡用法語者、皆以大概言之也、非必為皆然也、要使學者建此法以為其施

治之標準也

過經讝語者以有熱也

云過經讝語者以容其未過經而有讝語者也以有熱也者據徵之言也言十三日不解是表仍有熱者也而過經讝語者以內有熱也內之有熱不可見者也故據過經讝語以徵內之有熱也

當以湯下之

是謂以大柴胡湯下之也傷寒十三日不解是表證仍在也而過經讝語者是內亦有熱也法當先與小柴胡湯以解外後以大柴胡湯下之也而今不然者是傷寒十三日終不見胸脇滿嘔之證但其表證不解而過經既已過經而讝語者也以為是表證不解者非其不解者但以其內有熱之故使表證不得解者也是為大柴胡湯之的證當以湯下之以去其內熱也既已去其內熱則表證隨而解也總而論之云傷寒十三日不解過經讝語者以有熱也當以湯下之者猶云傷寒十三日不解而過經過經而讝語者以內有熱也當以大柴胡湯下之也是辨讝語之別也言傷寒讝語表證不解而過經者

是表熱之所爲也、不治其讝語、而獨解其表熱、則讝語隨而止也、是其治法、不主讝語、獨解表熱者也、麻黄湯主之、若有伏熱者、大青龍湯發之也、傷寒十三日不解而過經、既已過經、而讝語者、以内有熱也、非復表熱之所爲也、是其治法、當以過經讝語爲主、而施其治、其餘之證、隨而罷也、而此過經讝語者、不見胸脇滿嘔之證、則當以大柴胡湯下之、以大柴胡湯下之、則愈也、**若小便利者、**是容此證有小便不利及遺溺者也、是大柴胡加龍骨牡蠣湯及白虎湯之別也**大便當鞕而反下利、**是容有傷寒十三日不解過經讝語、小便利者、是雖未見大便鞕、而是已鞕者也、言傷寒十三日不解過經讝語、小便利者、是陽證實候之病、則大便當鞕、而不可下利者也、乃今以此陽證實候之病、而反下利、是必有疑途者也、當審其疑途、然後施其治也、所謂疑途者、大柴胡加芒硝湯及大承氣湯及調胃承氣湯也、**脈調和者、**以容有脈不調和而緊若遲者也必云脈調和以舉其淺易者欲以明此下利是爲陽證實候之下利故也又於上云以湯下之以舉其深劇者於此云脈調和以舉其淺易者欲以明傷寒十三日過經之後其表證當漸就其淺易故有表證仍在者又有表證已解而似未解者又有表證皆已解而但熱者故先舉其深劇者而漸及其淺易者也**知醫以丸藥下之非其治也**是欲明三義也一則欲明其證則雖當下之苟非其藥則雖下之而得利猶不能去其病也二則欲明傷寒十三日不解過經讝語小便利而下利者既爲表證實候之病則雖復下利而其大便猶硬也三則欲明此下利是爲陽證實候之下利而非復少陰證自下利者也言醫以丸藥下之非其治之故致此下利然其爲陽證實候之病則猶是依然爲陽證實候之病也但以非其治之故雖得其利而不能去其內熱內實耳**若自下利者脈當微厥今反和者此爲內**

實也　是別過經讝語而下利者時亦有陰證自利者也言過經讝語而下利者醫以丸藥下之致此下利與內有陰證虛寒而自下利者未可得識別也若內有陰證虛寒而自下利者則其脈當微厥此陰證之確也而今此下利猶如自下利而脈則反調和者非復陰證虛寒之自下利是為陽證內實也調胃承氣湯主之以此言之則脈微厥者舉其深劇也脈調和者舉其淺易也然則自脈調和之淺易中至其脈不調和而未及微厥則皆為陽實下利也

調胃承氣湯主之

是言傷寒讝語十三日不解而過經者是表熱之所致也以麻黃湯解其表熱則愈也若有伏熱者大青龍湯發之也是皆不治其讝語而獨解其表熱則讝語自止也是其治法不主讝語而主其表熱也傷寒十三日表證不解而過經過經而讝語無復餘證者以內有熱實也內有熱實故致此讝語也又以內有熱實之故表證欲解而不能解也當以大柴胡湯下之也是其治法始以讝語

爲主者也若傷寒十三日表證不解而過經胸脇滿而嘔譫語者此爲表裏俱有者先宜小柴胡湯以解外後以大柴胡湯主之也傷寒十三日表證不解而過經過經而譫語下利其脈不調和若小便利者雖則下利而大便當硬也何則此證本不可利而今反利者以醫以丸藥下之非其治之故雖得下利而不能去其病徒遂引此下利是爲內有熱實又爲有內實大柴胡加芒硝湯下之也若傷寒十三日表證不解過經譫語下利而遺溺脈浮滑者白虎湯主之也若傷寒十三日表證頗解過經譫語下利脈遲者若小便利者雖則下利大便當硬也何則此證不可利者也而今反利者以醫以丸藥下之非其治之故雖得下利而猶不能去其病也雖復下利而此爲內實大承氣湯主之也若傷寒十三日表證頗解過經譫語下利脈調和者若小便利者雖則下利而大便當硬也何則此證不可利者也而今反利者以醫以丸藥下之非其治之故也雖得下利而猶不能去其病也此

爲內實調胃承氣湯主之也凡此柴胡湯及大柴胡加芒硝湯及大小承氣湯其證於法皆不可利者也而今反下利是其變證也傷寒十三日表證不解過經讝語下利其脈微厥者此爲陰證虛寒之自下利當隨證以施其治也傷寒十三日表證頗解過經讝語下利其脈遲者及脈調和者是大小承氣及調胃承氣湯之所主也其證與大柴胡湯俱以不得利爲正然而是大小承氣及調胃承氣湯之證時以有下利以爲其內實之候故下利之證在大小承氣及調胃承氣湯猶爲其正證之變候也是其候之所以異於大柴胡湯及大柴胡加芒硝湯也故曰若自下利者脈當微厥今反和者此爲內實調胃承氣湯主之亦明此義也

補 右三章始一章照上小柴胡湯之證以明辨大陽病過經始入大柴胡湯之地位者中一章擧雖發潮熱而猶帶外證者以正小柴胡湯與大柴胡加芒硝湯之地位終一章擧

讝語一章、以結大小柴胡湯之地位也、

大陽病不解、是擧表熱入下部、其人如狂者、以明其地位深於大柴胡湯、而其證反淺易者也、而以大陽病言之者、以明此病表熱爲主、而血證則爲其客也、**熱結膀胱、**謂大陽病不解、其表熱入裏、而結膀胱以見此證也、非復膀胱本有其病根以見此證者也、卽是其血本無事、而表熱犯之使其然耳、**其人如狂、**其人時時發狂、而未失其正心者也、不與發狂同也、**血自下、下者愈、**此病本非其血有事、而表熱犯之、適使其然耳、故雖不攻其血證、而其血自下也、其血自下者、其如狂之證自愈也、何則此病表熱爲主、而血但爲其客故也、**其外不解者、尚未可攻、**是擧治法之逆也、此病本是表熱入裏、而結膀胱之所爲也、若攻其裏之血證、則表熱愈益內攻、而其病愈益深劇、是治法逆誤之所致也、故曰尚未可攻也、云尚未可攻者、攻之有時、未可以倉卒從事也、**當先解外**、是舉治法之順也、此病表熱爲主、而其血爲客耳、故先解其外、則其如狂之證、與表證俱愈也、若不然則不須攻其血、而其血自下也、其血自下者、其如狂之證亦自愈也、得治法之順故也、**外解已、但少腹急結者、乃可攻之、宜桃核承氣湯**、其外解已、其人仍如狂、但少腹急結、無復餘證者、是即可攻之時也、前來、表熱仍在、與其內攻、故尚未可攻也、今外已解、則無所顧忌、可以力攻而不疑也、然而此證殊多疑途、故姑以權時之治法、以與桃核承氣湯、以觀其治否、以審其疑途之所在、故云宜桃核承氣湯者、爲抵當湯茵陳蒿湯小青龍湯及大陷胸湯大柴胡加龍骨牡蠣湯而導其疑途也、是言大陽病不解、其表熱入裏而結膀胱、其人如狂、時時發狂、而未失其正心者、是大陽病表熱爲主、而血證爲其客也、其血本無事、而爲表熱所犯、適使其然耳、其血證非有根據者、故表熱迫之則大抵不須以湯藥攻之而其血自下者也其血自下者其熱之結膀胱者自解其如狂之證自愈也是其最易者也若其表熱入裏而結膀胱者少腹急結其人如狂時時發狂而未失其正心者是其治法有逆順者也知其所先後則可得而治矣何則此病表熱爲主而血證則爲其客耳故先去其主則其客自去也故其外仍不解者尚未可攻其血證也若其外仍不解而先攻其血證則表熱愈益內攻而其血證愈益反劇是於治法爲逆也故其外仍不解者當先解其外是於治法爲順也何則是其血證爲表熱所犯之所爲也今解其外則其血自下其血證自愈者有之是我一舉而兩得者也若其外解已其人仍如狂但少腹急結者此結在膀胱也前來畏於表熱內攻而今無此患乃可以力攻而不疑也然是其爲病殊多疑途故姑以權時之治法與桃核承氣湯以觀其治否也若與桃核承氣湯不解其人發狂而失其正心少腹硬滿而非所謂急結小便自利者

是其地位、則同、而其證、則血證爲主者也、下血乃愈、抵當湯主之也、若其人脈沈結、少腹但硬、小便不利者、是其地位、則同、而其證、則瘀熱在裏者也、茵陳蒿湯主之也、若其人表有熱、少腹但滿、小便不利者、是其地位、則同、而其證、則陽證久水成寒者也、小青龍湯主之也、此二湯者、其地位、同一、而其證相類、但其發狂、則無有也、若其人自少腹硬滿、至心下、痛不可近者、是爲結胸熱實、其地位不同者也、大陷胸湯主之也、

桃核承氣湯方

桃人五十箇　桂枝二兩　大黃四兩

芒硝二兩　甘艸二兩

右五味、以水七升、煮取二升半、去滓、內芒硝、更上

火微沸下火先食溫服五合日三服當微利

傷寒是擧類狂證之在中部者以明其地位比於桃核承氣湯上一等比於桂枝去芍藥加蜀漆龍骨牡蠣救逆湯裏而下者一等也桃核承氣湯之證其地位已深而其病反淺柴胡加龍骨牡蠣湯之證其地位頗淺而其病反劇桂枝去芍藥加蜀漆牡蠣龍骨救逆湯之證其地位愈淺其證愈益反暴劇故桃核承氣湯之證冠以大陽病而柴胡加龍骨牡蠣湯及桂枝去芍藥加蜀漆牡蠣龍骨救逆湯之證皆冠以傷寒所以使學者不眩其淺深而審其劇易也而桃核承氣湯之證表熱犯地位故其狂證頗劇而其病反淺易也是柴胡加龍骨牡蠣湯之證單是表熱證而非犯他證者也而亦未爲虛證故雖經下之猶爲陽實證也旣是陽實證而非復虛證非復犯他證本大柴胡湯以下之之故熱與客氣騷擾奔逸而上攻表熱內伏而不能發動耳故龍骨牡蠣鎭壓其熱與客

氣騷擾奔逸而上行者、大柴胡湯以解其伏熱、則諸證皆止也、**八九日下之**者、以明大柴胡湯之地位也、云下之者、以明裏氣不能攝收、而熱與客氣騷擾奔逸而上攻之因也、又以明非犯他證單是熱證之所爲也、**胸滿煩驚、小便不利、**以下之之故裏氣不能攝收、而熱與客氣騷擾奔逸而上攻、故胸滿煩驚、小便不利也、既是胸滿煩驚、而小便不利、是陽實熱證、熱在下而上結之候也、故胸滿煩驚、小便不利、是龍骨牡蠣之所主也、胸滿煩驚、小便不利、亦柴胡湯之所主也、**譫語**熱實之候也、**一身盡重、不可轉側者、**是表熱內伏、而不能發動者、是亦大柴胡湯之所主也、**柴胡加龍骨牡蠣湯主之、**凡云主之者、主一無適而不涉疑途者也、此證已下之之後、始見此諸證、則似是爲虛證、又似犯他證也、而亦非爲虛證、亦非犯他證、單是陽實熱證、以下之之故、熱與客氣騷擾奔逸上攻而表熱內伏耳非復涉疑途者故云主之以決之也又以別桂枝加附子湯及白虎湯大承氣湯證之有疑途也言此則主一無適而彼則疑途傍出者也言是傷寒八九日以下之之故胸滿煩驚小便不利讝語一身盡重不可轉側者是其證仍在大柴胡湯之地位但以下之之故腹中空虛客氣上攻以致胸滿煩驚小便不利耳非復帶他證者故大柴胡加龍骨牡蠣湯主之也傷寒八九日身體疼煩不能自轉側脈浮虛而濇者是於法名風濕相搏也是外風與內之久寒相搏者是二證相併者也不與大柴胡加龍骨牡蠣湯一證中見變候者同也比之於大柴胡加龍骨牡蠣湯更劇一等者桂枝附子湯主之也若其人大便硬小便自利者非復風濕相搏者是久寒與水氣二證不相和者桂枝附子去桂枝加白朮湯主之也若其人身體疼煩不能自轉側嘔而渴胸滿煩驚小便不利其脈浮緊者是其證在大柴胡湯之地位而比桂枝附子湯及去桂枝加白朮湯其淺

易一等者、大柴胡加龍骨牡蠣湯主之也、三陽合病、腹滿身重、難以轉側、口不仁而面垢、讝語遺溺、潮熱而大便難者、此爲胃中有實、比之於大柴胡加龍骨牡蠣湯、其證在裏而深劇一等者、大承氣湯主之也、若其人腹滿身重、難以轉側、口不仁而面垢、讝語遺溺、自汗出者、此爲熱結、比之於柴胡加龍骨牡蠣湯、其證自表入裏而深劇一等者、白虎湯主之也、是其病證地位之辨別也、

柴胡加龍骨牡蠣湯方

半夏二合　大棗六枚　柴胡四兩　生薑一兩半

人參一兩半　龍骨一兩半　鉛丹一兩半　桂枝一兩半

茯苓一兩半　大黃二兩　牡蠣一兩半

右十一味、以水八升、煮取四升、內大黃、切如碁

子、更煑取二升、去滓、温服一升。補 右柴胡加龍骨牡蠣湯卽大柴胡湯加龍骨牡蠣者也、諸方之例、可以見焉、此一方出於後人之僞造者也、

傷寒、腹滿譫語、寸口脈浮而緊、此肝乘脾也、名曰縱、刺期門、

傷寒、發熱、嗇嗇惡寒、大渴欲飲水、其腹必滿、自汗出、小便利、其病欲解、此肝乘肺也、名曰橫、刺期門、補 右二章鍼家之說、非本編之義也、

太陽病二日、反躁、反熨其背、而大汗出、大熱入胃、胃中水竭、躁煩、必發譫語、十餘日、振慄、自下

利者此爲欲解也故其汗從腰以下不得汗欲
小便不得反嘔欲失溲足下惡風大便鞕小便
當數而反不數及不多大便已頭卓然而痛其
人足心必熱穀氣下流故也

太陽病中風以火劫發汗邪風被火熱血氣流
溢失其常度兩陽相熏灼其身發黃陽盛則欲
衄陰虛則小便難陰陽俱虛竭身體則枯燥但
頭汗出劑頸而還腹滿微喘口乾咽爛或不大
便久則讝語甚者至噦手足躁擾捻衣摸床小

便利者、其人可治。

補　右二章、煩碎冗長、且陰虛陰陽俱竭等、皆非本編之義也、

傷寒脈浮、是擧傷寒發狂、而其證在大表者也、以明前章柴胡加龍骨牡蠣湯之證、其發狂不劇、而其病反深、此章之證、其發狂劇躁、而其證反淺者也、前證其發狂、由裏氣上攻、而此證其發狂、由表氣上逆、若其柴胡湯證桂枝湯證、則仍依然者也、而前證發狂、所以不劇者、其病深久、而其狂發於內、故其狂狀不劇也、此證發狂、所以反劇者、其病新壯、而其狂發於外、故其狂狀大躁擾也、若其病之淺深、則以柴胡桂枝二湯處方之別示之也、而其地位、則前章仍在柴胡湯之地位、而以發其狂耳、亦非復他病也、此證仍在桂枝湯之地位、而以發其狂耳、亦非復他病也、前證發狂、擧在其深內、此證發狂、擧在其大表、以明其發狂在小柴胡湯之地位者、其治法又亦如之也、此云脈

浮而不擧日數者、將欲以明三義也、一則明傷寒發病其證爲桂枝者也、二則明其發狂所以劇躁者、以其病新壯而逆治劫之故也、三則以明傷寒之爲病、雖云脈浮爲桂枝證、而其治法大不與大陽病中風同也。

醫以火迫劫之、

凡云醫者、以明其病證不可行此治、而醫一切強行其意也、云以火迫劫之者、以言病未欲解、又不可解、而無是無非、欲以一切剝劫而掃地去之也、言此傷寒脈浮者、當以緩和從事、而不可遽奪者也、若遽奪之、則格逆爲其劇也、

亡陽必驚狂、起臥不安者、

必者、懸斷之辭也、懸斷之者、十中期七八有之者也、言以火迫劫之則亡其陽、劇者十中七八、必驚狂躁擾、其不劇者、十中二三、必臥起不安、其驚狂躁擾者、桂枝去芍藥加蜀漆龍骨牡蠣救逆湯之所主也、其臥起不安者、亦是桂枝去芍藥加蜀漆龍骨牡蠣救逆湯之所主也、要之驚狂躁擾者、亦是亡陽、臥起不安者、亦是亡陽、不過在桂枝湯地位、而表氣躁擾耳、

故此二者皆爲桂枝去芍藥加蜀漆龍骨牡蠣救逆湯之所主也、

桂枝去芍藥加蜀漆龍骨牡蠣救逆湯主之

凡救逆湯者、但救其氣之上逆則止、而不復及其他者也、然則是當云宜救逆湯、而今云主之者、其義有數焉、是傷寒脈浮者、醫雖以火迫劫之、而其脈浮、其證如故、仍是桂枝湯之本證也、故云主之也、而桂枝去芍藥、亦是抑遏其氣之上逆者也、而其氣上逆、則上衝之劇者也、故亦云主之也、言傷寒發病、脈浮、其證桂枝者、法當以緩和治之也、不可以急遽奪之、何則傷寒其病本熱悍者也、以急遽奪之、則其病不去、而反格逆而致其劇、故其治法、先與桂枝湯、以解其表、而後觀其後證何如、隨證以處其方也、而今醫不察焉、不問其證何如、欲以一切劫而掃地去之、遂以火迫劫之、故其病不去、而反亡其陽、其劇者必驚狂躁擾、其不劇者、亦必臥起不安、其如此者、桂枝去芍藥加蜀漆龍骨牡蠣救逆湯主之也、傷寒五六日、醫下之、胸脇滿、煩驚、小便不利、身體疼煩、不能自轉側、嘔而渴者、小柴胡湯加龍骨牡蠣湯主之也、傷寒八九日下之、胸滿煩驚、小便不利、譫語、一身盡重、不可轉側者、大柴胡加龍骨牡蠣湯主之也、桂枝者、抑遏其氣上逆者也、蜀漆牡蠣龍骨者、鎭壓其表氣上逆躁擾者也、芍藥者緩和之者也、故蜀漆牡蠣龍骨之所鎭壓、與芍藥之所緩和者、其用相反者也、故此方桂枝去芍藥而加蜀漆龍骨牡蠣也、

凡桂枝湯證而致驚狂者、必以亡陽也、而其來必由於以火迫劫之、及發汗過多也、若桂枝湯證而反下之者、不過表氣內攻、客氣上衝、而脈促胸滿、必不至驚狂躁擾也、何則桂枝湯證、其表本非大劇者、故其內攻亦從之也、不與大小柴胡湯證下之、以至驚狂同也、大小柴胡湯證、其裏已太劇者也、故他藥逆下之、則或致驚狂也、凡桂枝湯亡陽之驚狂、大小柴胡湯下後之驚狂、其證皆同一類

也皆以其地位之本病始致其驚狂躁擾者耳故桂枝湯亡陽之驚狂仍桂枝爲本劑而鎮壓其表氣躁擾也大小柴胡湯下後之驚狂亦以大小柴胡湯爲本劑而鎮壓其客氣上攻躁擾者也與桃核承氣湯抵當湯之發狂同異其類也桃核承氣湯之發狂者表熱侵其血使之發狂耳其狂主表熱而不主其血故其證先解其表熱則其狂或止者也抵當湯之發狂者其狂主血證而不主其表熱者也故抵當湯先下其血而其狂乃止也此發狂五證之別也

補　右正文三章始一章擧表熱侵其血而發狂者中一章擧逆下而發狂者終一章擧火劫亡陽而發狂者以明辨發狂三證之地位也

桂枝去芍藥加蜀漆龍骨牡蠣救逆湯方

桂枝三兩　甘艸二兩　生薑三兩　牡蠣五兩

龍骨四兩　大棗十二枚　蜀漆三兩

右七味，以水一斗二升，先煮蜀漆，減二升，內諸藥，煮取三升，去滓，溫服一升。

形作傷寒，其脈不弦緊而弱，弱者必渴，被火者必譫語，弱者發熱，脈浮，解之當汗出愈。補其言不達，不足取。

太陽病，以火熏之，不得汗，其人必躁，到經不解，必清血，名為火邪。補此證不舉治法，非本編之例，又到經二字，疑有誤。

脈浮熱甚，而反灸之，此為實，實以虛治，因火而

動、必咽燥唾血、

微數之脈、愼不可灸、因火爲邪、則爲煩逆、追虛逐實、血散脈中、火氣雖微、内攻有力、焦骨傷筋、血難復也、

脈浮、宜以汗解、用火灸之、邪無從出、因火而盛、病從腰以下、必重而痹、名火逆也、補右三章、出於後人者也、然可爲不辨脈證而好灸者之識也、

欲自解者、必當先煩、乃有汗而解、何以知之、脈浮、故知汗出解也、補此章、議論膚淺、不足取、

燒鍼令其汗、鍼處被寒、核起而赤者、必發奔豚、氣從少腹上衝心者、灸其核上各一壯、與桂枝加桂湯更加桂二兩、

【補】云發奔豚者、擧病名論證、非本編之例也、且既云發奔豚、又云氣從少腹上衝心者、註釋文也、又云更加桂二兩者、方錄家之體也、其出於後人審矣、

火逆下之、因燒鍼煩躁者、桂枝甘艸龍骨牡蠣湯主之

【補】火逆者、以火劫發其汗、而爲逆也、下之者、火逆而復下之也、因燒鍼者、加燒鍼也、然則火逆而復下之、又加燒鍼、則三犯誤逆也、雖世間多鹵莽醫、亦不可解也、且不擧冒首、不說本證、粗漏不足取也

桂枝甘艸龍骨牡蠣湯方

桂枝一兩　甘艸二兩　牡蠣二兩　龍骨二兩

右爲末以水五升煮取二升半去滓溫服八合日三服

大陽傷寒者加溫鍼必驚也　突然一證似囈語

大陽病當惡寒發熱今自汗出反不惡寒發熱關上脉細數者以醫吐之過也一二日吐之者腹中饑口不能食三四日吐之者不喜糜粥欲食冷食朝食暮吐以醫吐之所致也此爲小逆

太陽病吐之、但太陽病當惡寒、今反不惡寒、不欲近衣、此爲吐之內煩也、

病人脈數、數爲熱、當消穀引食、而反吐者、此以發汗、令陽氣微、膈氣虛、脈乃數也、數爲客熱、不能消穀、以胃中虛冷、故吐也、

補 右三章、論吐逆汗逆、頗有理也、然始章、以三部論脈、中章不擧脈、又皆不擧治法、出於後人者也、

太陽病、過經十餘日、心下溫溫欲吐、而胸中痛、大便反溏、腹微滿、鬱鬱微煩、先此時、自極吐下者、與調胃承氣湯、若不爾者、不可與、但欲嘔、胸

中痛微溏者此非柴胡證以嘔故知極吐下也

補 此章言心下溫溫欲吐而胸中痛者是邪在於上則當大便不溏而反溏則下亦有邪也且腹微滿鬱鬱微煩又先時自極吐下而尚且今日如此則知毒熱充實於腹中上下也故可與調胃承氣湯也若先時不自極吐下而心下溫溫欲吐而胸中痛大便反溏腹微滿鬱鬱微煩者是大柴胡湯之證而非復調胃承氣湯之證不可與之也若但欲嘔胸中痛微溏而無腹微滿鬱鬱微煩則非復柴胡證是黃芩加半夏生薑湯之證也

右文章頗簡明於僞章中最佳者也但云以嘔故知極吐下也者爲不通何則嘔者柴胡之本證也且諸證有嘔者多則何以知以嘔故極吐下乎可謂粗也

大陽病六七日　是擧主熱主血之別以受上之桃核承氣湯而起下之大陷胸湯之

疑似也、大陽病六七日、表證仍在、脈微而沈、反不結胸者、是明主熱而無血者也、是大陷胸湯之疑似也、其人發狂者、以熱在下焦、少腹當硬滿者、是明主熱而有血者也、是桃核承氣湯之疑似也、其人發狂者、以熱在下焦、少腹當硬滿、小便自利者、下血卽愈者、是明主血而不主熱者也、是抵當湯之本證也、大陷胸湯之證、其熱熱深而心下少腹兩俱硬滿者也、桃核承氣湯之證、但少腹硬滿、乃主其熱而其狂易者也、抵當湯之證、主其發狂與小便自利、而其熱與少腹易者也、云大陽病六七日者、以明其地位仍淺也、又以明與大柴胡湯同其地位也、明其地位仍淺者、爲桃核承氣抵當湯言之也、明與大柴胡湯同其地位、爲大陷胸湯言之也、**表證仍在、**一以明其熱熱深而有表有裏也、是大陷胸湯之證也、一以明其表證頗盛而不劇、是桃核承氣及抵當湯之證也、**脈微而沈、**其脈陰陽皆微而其沈多者也、與脈沈微不同也、大陷胸湯之證、其病狀靜、而與脈

狀頗相似者也、桃核承氣、及抵當湯之反不結胸、證、其病狀頗躁、而與脈狀相反者也、

其人發狂者、大陽病六七日、既是大陷胸湯之地位也、表證仍在、而其脈反微而沈、是有表有裏、而其裏有結者也、當少腹硬滿、而心下亦頗硬滿、若然者、雖無其痛、即是結胸之諦也、其病狀當頗靜沈、而結胸也、今反不結胸、其人發狂而躁暴、是其病狀與脈狀相反、故曰反也、

以熱在下焦、少腹當鞕滿、少腹硬滿者、是表熱之所為也、猶未為桃核承氣湯之證、當外解、此熱也、既外解、此熱罷、而後少腹急結者、乃桃核承氣湯之所主也、

小便自利者、下血乃愈、所以然者、以大陽隨經瘀熱在裏故也、自所以至故也十五字、註釋之體、非正文、當刪去也、

抵當湯主之、大陽病六七日、表證仍在、脈微而沈、其人發狂、少腹硬滿、小便自利者、是以內有血證之故、表裏諸證、皆不能

去也。若下其血則表裏諸證乃始得愈也。言大陽病六七日其地位既在大柴胡湯之地位。其形似不易者表證仍在而其證頗熱深其脈微而沈少腹已硬滿而心下亦似硬滿。是雖未見其痛而是結胸之諦也。何則表氣內陷而結心下。是以其脈微而沈。其病亦靜沈者也。學者須識此大陷胸湯之所主也。若從心下至少腹硬滿而痛則是大陷胸湯之正。而不涉疑途者也。大陽病六七日其形似頗緩表證仍在而其狀頗暴而易其脈獨與病狀相反。微而沈少腹硬滿其人發狂者以熱在下焦而侵其血故也。少腹硬滿者熱也。以熱在下焦而侵其血故其人發狂也。此其為病以表熱為主而其血為客。故其治法當先解表熱也。表熱已解則諸證隨而愈也。若表證已解其人仍如狂少腹急結者此為血實。表證已解而實結少腹桃核承氣湯主之。大陽病六七日其形似頗緩表證仍在而其狀暴而易其脈獨與病狀相反。微而沈少腹硬滿小便自利其人發狂者是大陽病之末路更起血證者也少腹硬滿而小便自利又其人發狂者具此三證是血證之諦也故知表證仍在者非復表證不欲去是但以內有血證之故表證欲去而不能去也故是其治法當先下血也既下其血乃表裏諸證皆愈

抵當湯主之也

抵當湯方

水蛭三十箇　䖟蟲三十箇　桃人二十箇　大黃三兩

右四味以水五升煮取三升去滓溫服一升不下再服

大陽病是擧大陽病無有表證者與表證仍在者以辨血證之有無以明茵蔯蒿湯大陷胸湯桃核承氣湯抵當湯之疑途也云大陽病者是有三義也一則以明陽病淺證而非陰證深劇之

病狀也、是無有表證者也。二則以明大陽病表證仍在者也、三則以明其病狀陽證、而其脈狀不類陰證者也。**身黃、**是瘀熱在裏之證也、此文當云大陽病、脈沈結、身黃、而今云大陽病身黃脈沈結者、欲以明是陽病淺證、而無他表證、但以身黃爲主證者也、故先擧其一證、而後擧脈狀、以及餘證者也、其擧脈狀、又及餘證者、以包大陽病表證仍在者也、**脈沈結、**是血證之本脈、併及瘀熱結下焦之脈狀、以包大陷胸湯結胸、桃核承氣湯熱結膀胱者之脈狀也、**少腹鞕、**一以明脈沈結而少腹鞕者、是爲血證之脈證也、一以明少腹鞕、心下頗覺滿者、是結胸之證也、而不云心下滿者、是不可期者、欲學者意悟、以得要樞也、故不云心下滿也、亦欲完瘀熱之證故也、**小便不利者、爲無血也、**云爲無血也者、對有血之辭也、故云無血有血者、以明既有他證而又併有血證者也、凡云爲者、皆法語也、大陽病而脈沈結少腹鞕者、是似有血證者、然而其身黃、小便不利者、是血證之所必無也、是於法、爲但瘀熱單證、而無血證者、一決、以單治其瘀熱也、云於法爲但瘀熱單證、而無血證者、時亦有此證、而有血證、是不可期者也、故亦欲學者之意悟之也、故以法語言之也、

小便自利、其人如狂者、血證諦也、抵當湯主之、

血證本當發狂者也、而今云其人如狂者、以照上桃核承氣湯之證也、是有三義、一以明瘀熱在裏、而侵血分者、其人如狂也、二以明表熱仍在而侵血分者、其人如狂也、三以明地凡血證之諦、或有其人發狂者、或有其人如狂者、或有其人不狂者、雖是一定之證、而亦有不可一定者、但其所一定而必有者、小便自利之證也、然而是有疑似者、故必併有此二證、然後其爲血證無疑、故曰小便自利、其人如狂者、血證諦也、言大陽病其病狀全是陽病淺證、而無有表熱、又無有陰病深劇之證、其人但身黃者、其脈則反沈結、是與病狀相反也、而又少腹硬、小便不利者、是爲瘀

熱在裏、茵蔯蒿湯主之、是其爲病狀、雖云陽病淺證、而無復表證、其脈沈結、少腹硬、以具血分之證、而其身黄小便不利者、血證之所必無也、若其人陽病淺證、而無復表證、而但身黄脈沈結、少腹硬小便自利者、或其人如狂者、是爲瘀熱血證併有者也、先宜茵蔯蒿湯、然後抵當湯主之也、大陽病表證仍在、其脈反沈結、是其脈狀、與病狀相反者也、而少腹硬、心下煩滿、小便不利者、是欲結胸、大陷胸湯主之、大陽病、表證仍在、其脈反沈結、少腹硬、其人如狂者、是爲表熱結膀胱、而侵其血分者、當先攻其表證、然後桃核承氣湯主之也、大陽病表證仍在、其脈反沈結、少腹硬、小便自利、其人如狂者、血證諦也、雖云有表證、當先治其血證也、抵當湯主之也、

傷寒有熱、是擧傷寒其地位已深、又併有他病、而其證衆多紛雜、而不知所適從者、以明辨別其二病之條理、以竄其諸證、以施其治之法、也、故此章凡有二節、其一則明傷寒本病有大柴

胡大陷胸湯之疑途也、一則明傷寒本病其地位已深、又併有小青龍茵蔯蒿湯抵當丸之證者也、二則明傷寒本病併有他證者、先治其所併有之他病、然後就其本病、以審其諸證地位、乃始施其治法也、此上二章、皆為抵當湯之本證、而在血證劇者也、而此章抵當丸之證、其在血證易者也、抵當湯之於抵當丸、亦為其劇劑也、而上二章、抵當湯之本證、反云太陽病、而此抵當丸之易證、又反云傷寒、是其言似有誤違者也、所以然者、欲以明傷寒本病其地位已深者、今又併有抵當丸之易證、雖復易證、而其治法、當先治抵當丸之易證、然後始反其初以治其傷寒本病也、其有抵當湯之本證者、固亦以此法從事、故於此抵當丸證、反舉傷寒、以示其治法也、云傷寒有熱者、有也者、一有一無之辭也、是有二義也、一則主明傷寒本病、其地位已深者、其本病之外、又更併有他病之熱者也、二則旁明傷寒本病其地位已深、而有其本病之熱者也、其熱狀何如斯稱之有熱、曰此云有熱者既非發熱之翕翕者又非身熱之蒸蒸者其狀苒苒然熱者謂之有熱也少腹滿應小便不利應也者須有之辭也包猶有其他證也故此云應者其義有二焉其一以明傷寒本病之外又更併有他病之熱而少腹滿者其證應復必有者小便不利是的然之證也而其他諸證各以其病有之此不可的定者也故特擧其小便不利的定之證又云應以包其有諸證者也而其所謂諸證者小青龍茵蔯蒿各以其病而見其證也又以包傷寒本病有熱者大柴胡大陥胸湯各見其證者也其一以明傷寒本病其地位已深者亦有其多證者也此文已解之故上文省之以其可推知之故也今反利者言傷寒本病大柴胡大陥胸湯之證其熱入裏者苟少腹滿則小便必當不利者也其併有他病者小青龍茵蔯蒿湯之證亦苟有其少腹滿則小便必當不利者也今傷寒有熱之證而其少腹滿而其小便則依然利故云反利也爲有血也當

下之、謂傷寒本病之外、又更併有此血證病也、故云有血者、言本病之外、又有此血證也、爲也者、法語也、熟而審之之言也、少腹滿、小便利者、於法、爲有血也、既熟而審之、而其血證之治法、以下之爲當也、故雖在傷寒深證、猶斷然而下之也、

不可餘藥、宜抵當丸、

宜者、權時之辭也、傷寒本病、又併有血證、乃其諸證衆多紛雜、無所適從者、醫以爲傷寒本病大劇、當治其劇者、若其血證、是其容易之事、不足深慮也、已治傷寒本病之劇者、然後治其血證、未以爲晩、於是將先姑舍其血證、乃就傷寒本病衆多紛雜之證、以施其方藥也、然已有此血證、則其衆多紛雜之諸證、或有傷寒之所爲者、或有血證之所致者、則雖欲就其諸證、以審傷寒本病之地位、而終不可知其所歸本也、若以此茫洋、而施其方藥、則終不可得其治、故傷寒本病之外、又併有血證者、則不可施餘藥、權從其時宜、以與抵當丸、先治其血證也、然傷寒本病既是大劇、則不可失其治之時、故暫

與抵當丸、以治其血證則卽復治其傷寒本病也何則既與抵當丸以治其血證則諸血證之所致者、其證皆罷然後其餘所存之諸證、皆是傷寒本病之所爲者、於是從其諸證以審其地位、卽傷寒本病之地位可得而的定、於是施其方藥則始不誤其治也、其他倂有小青龍茵蔯蒿湯之諸證者、其治法亦倣此抵當丸之法也、言傷寒本病苒苒然有熱旣非翕翕之發熱亦非熱蒸之身熱是其熱入裏者也、而少腹滿小便不利胸下滿而嘔者、是非倂有他病者、卽傷寒本病在大柴胡湯之地位也、大柴胡湯主之、傷寒本病苒苒然有熱旣非翕翕之表熱亦非熱蒸之身熱是傷寒本病熱結其裏者也而少腹滿小便不利心下鞕痛者是非倂有他病卽傷寒本病在大陷胸湯之地位也、大陷胸湯主之、此二證者、皆無疑途者也、又傷寒地位已深其證亦衆多紛雜不知其所適從者、苒苒然有熱旣非本病翕翕之表熱亦非本病熱蒸之身熱而少腹滿小便自利者是爲傷寒本病之外、併有血證者也既有血證故致此苒苒然之熱又致此衆多紛雜之諸證亦未可審識也故是其治法當下之不可因其疑途姑與餘藥以誤其治也何則既下其血則血證所致之諸證皆罷復故然後其所見存之諸證卽是傷寒本病地位之證也當以隨其見證審其地位以處其方也是其治法也傷寒地位已深其證亦衆多紛雜不知所適從者苒苒然有熱既非本病翕翕之表熱亦非本病熱蒸之身熱而少腹滿小便不利渇而咳或喘者是爲傷寒本病之外併有陽證水氣成寒者也既有陽證水氣成寒者故致此苒苒然之熱又致此衆多紛雜之諸證亦未可審識也是其治法當先與小青龍湯以治其陽證水氣成寒者也何則既治陽證水氣成寒者則其陽證水氣之所致之諸證皆罷復故然後其所見存之諸證卽是傷寒本病地位之證也當以隨其見證審其地位以處其方是其治法也傷寒地位已深其證亦衆多紛雜不知所適從者苒苒然有熱既非本病翕翕之表

熱亦非本病熱蒸之身熱而少腹滿小便不利身黃或頭汗出者是爲傷寒本病之外併有瘀熱在裏也既是瘀熱在裏故致此苒苒然之熱又致此衆多紛雜之諸證亦未可審識也故此治法當先與茵蔯蒿湯以治其瘀熱在裏者也何則既治其瘀熱在裏者則其瘀熱在裏者所致之諸證皆罷復故然後其所見存之諸證即是傷寒本病地位之證也當以隨其見證審其地位以處其方是其治法也此三證者皆傷寒本證之外併有他病而有疑途者也當以去其疑途審其正證以處其方是皆的確之道而施治之法也

補右正文三章始一章擧表證仍在脈微而沈者以此結胸之證以明抵當湯之證中一章擧身黃脈沈結者以益明抵當湯之證終一章擧傷寒有熱者以明血證之治法也

抵當丸方

䗪蟲二十五箇　桃人二十箇　大黄二兩　水蛭二十箇

右四味，杵分爲四丸，以水一升煮一丸，取七合服之，晬時當下血，若不下者更服。

太陽病，小便利者，以飲水多，必心下悸，小便少者，必苦裏急也。補此章，議論膚淺，不足取。

傷寒論特解卷之四上

合類 方書摘要　常陽良医 小川宗本撰書　小本五冊

夫諸記百花ノ名方万巻ヲ坐右ニツムトモコレヲ操コレヲ暗記スルコトカタシ又一書ニシテ一鉄アルモノサヘモ一レナレバ数百丁ノ間ニモ要用ノ條ハ乏レナリ且療治ニ繁用ナレバ古書ヲ披カキシタニフコトモタヤスカラズコノ摘要ハ實ニ万巻ノ中ヨリ要用ノ方名抜萃シテ一覧万方ニ通ズルノ奇書ナリ

醫家千字文　貞菴浅井先生校正　全一冊

此千字文ハ永仁年中散位正五位下時俊カ撰ム所ニシテ医道ニ要用ノ文字ナリ〻タソノ文ニツイテ注釈アレバ只コノ一本ニシテ万巻ノ医書ニワタルゴトク一覧シテ博識トナル大益ノ書トイフベシ

草木性譜　舎人清原重巨撰 男 重光校　全三冊

此書ハ山野田圃ノ草木数性アルウチヨリ奇異ナル物ヲ撰出シ漢名方言ヲ書記シクハシク花葉菓根ソノ時候ヲモ考ヘ変種別種ノ誤ヲ訂セル又諸名家ノ臨正ノ画ヲクハヘ着色ヲソヘテアタカモ實物ヲ見ルガ如シ

有毒草木圖説　舎人清原重巨撰 男 重光校　全二冊

神農百草ヲナメテ鈎毒ヲ審ニセル傳説モ世人タヾ口話ノミ心得テ毒アルコトヲ聞ナガラ害アルコトヲ恐レザル人多キヲウレヘクハシク此圖説ヲナスコト性譜ノ書ニ同ジ

妙薬手引草　中齋主人著　全一冊

これハ治めしきもとに坐て人のたやすくわかる書く世のわざ広くおあつめ見るる本あまさ法をしるしまつりこやさこのくむて即功のさうりなりと見すいたにおうしく薬の法ハ年寺であしてもうあうた名医々との奇方をあつめ製法も家のとの人やきを要とした又うまに病の的中の妙薬をまし山海の中おしる処の花の里で下る医者をまなくハ面倒ありとて病状のしるの人もありその手軽きを好むお方ハかなしれこの本をを求めおきて疾病をみづから療治なし家内無病の幸を治し他の人のふしも仁徳をおこし近隣うるしく無世あう人もやうこうこ一あつきし